Under the editorship of Michel Benamou
University of California at San Diego

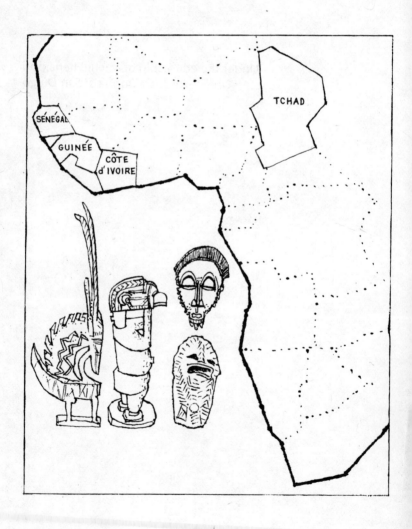

Contes
africains

Mildred P. Mortimer

Bryn Mawr, Pennsylvania

HOUGHTON MIFFLIN COMPANY   BOSTON
New York   Atlanta   Geneva, Illinois   Dallas   Palo Alto

Acknowledgments

The selections reprinted in this book are used by permission of and special arrangement with the proprietors of their respective copyrights.

La Légende Baoulé and *La Lueur du soleil couchant* are taken from Bernard B. Dadié's **Légendes africaines** © SEGHERS, Paris, 1966. *Le Miroir de la disette* and *Le Pagne noir* appear in **Le Pagne noir** by Bernard Dadié, published by Présence Africaine, Paris (1955). *Les mauvaises compagnies, Maman-Caïman, Les Calebasses de Kouss,* and *Les Mamelles* appear in Birago Diop's **Les Contes d'Amadou Koumba,** published by Présence Africaine, Paris (1961). *L'Éclipse de la lune, La plus belle fille de la terre cachée sous une peau d'ânesse,* and *Le Bonnet, la bourse et la canne magiques* appear in Joseph Brahim Seid's **Au Tchad sous les étoiles,** published by Présence Africaine, Paris (1962). The extracts from *L'Enfant noir* are from Camara Laye's **L'Enfant noir,** published by Librairie Plon, Paris (1953).

Illustrated by Calvin W. Burnett

The illustrations in this book are based on authentic works of African tribal art. The cover illustration is adapted from a door typical of the shrines of the Senufo culture which ranges from the western part of the Sudan to the Guinea coast.

Printed in the U.S.A.

Library of Congress Catalog Card Number: 71–168855
ISBN: 0–395–12078–0

Contents

Introduction

African prose of French expression may be viewed as the blending of two traditions — one distinctly African, rooted in tribal tradition and folklore, expressing itself in dance, music, song, and the spoken word. The other, a more recent acquisition, is the legacy of European colonialism which brought machines, techniques, European tongues and the written word to Africa. Both currents are apparent in Africa today where independence from former French or British rule has resulted in a reaffirmation of an African identity, a desire to preserve the cultural heritage while adapting and accommodating to the challenge of modernization. Indeed, the President of Senegal, Léopold Sédar Senghor, poet as well as statesman, has consistently used an expression, *le métissage culturel*, cultural cross-breeding, to describe this phenomenon of two currents feeding into the mainstream of African culture.

The short stories and the autobiographical narrative chosen for this reader provide eloquent examples of this fusion or *métissage*. The four writers, Birago Diop of Senegal, Bernard Dadié of Ivory Coast, Camara Laye of Guinea, and Joseph Brahim Seid of Chad, have turned to the oral tradition to interpret it within the context of a written one. The oral tradition has belonged to them since childhood; it is the legacy passed down by the elders to the young. The written context is French, the language acquired in the schoolroom under colonial rule which these nations, now independent, have chosen to maintain as the official language. The French language has given access to thought and techniques previously unknown in Africa.

The modern African writer is using his French education, placing it in the service of affirming his African — not European — identity. Therefore, the extent to which the French language has permeated the educational system is counterbalanced by the firm hold which traditions, as well as African tongues, have maintained among the people. The written word, the language used by the journalists and the bureaucrats, is French. The spoken word remains Wolof, Mandingo, or one of more than a dozen other languages spoken in this region. Moreover, the once distinct division between the spoken word and the written word is giving way as systems of transcription are being developed for many African tongues that previously had no written alphabet.

To grasp the manner in which a writer such as Diop, Dadié, or Seid transposes the oral tradition to the written page, let us first examine the folk tale in its original form. The narrator comes before the assembled crowd at nightfall, during the hours of mystery and enchantment, never in daylight. The narrator recites the tale in the vernacular (not in French) but, to be more accurate, he performs the work.

A tale begins with an equivalent of "once upon a time." Among the Wolofs of Senegal, the narrator shouts "Fable!" The audience, anxious to participate, returns the word, "Fable!" The storyteller then begins, "Once upon a time," and his audience answers, "According to custom." The tale unfolds as the narrator, by means of gestures and mimicry, recreates the antics of the hare, the hyena, the monkey, and the crocodile. One must be quite skillful in gesture and pantomime, for the audience has undoubtedly heard the same tale many times before and threatens to grow restless should the narrator fail to amuse. The story closes with a specific phrase, one that varies from region to region, from group to group. The Mandingos close with "I put it back in the place where I found it!" The Agni state, "It's a lie!", and the Wolofs, most poetic, exclaim, "From there my tale goes on to fall into the sea! The first to breathe it will go to Paradise!"

In the African savannah, the storyteller is a special person, member of a traditional caste. French anthropologists have labelled him *griot* (guéwel, in Wolof). Champion and defender of the ancient tradition, he excels in a knowledge of the history of his region, the genealogy of kings, and a wealth of tales and legends. The *kora* (lute), *balafong* (xylophone), and *tam-tam* (drum) are his accompanying instruments. Unquestionably an artist, the griot unfortunately is dependent upon a benefactor. He earns his keep by singing the praises of other men. Thus, from the early days of his career until the end, the griot attaches himself to the wealthy and illustrious, to sing their praises for his daily bread. Since he has access to the community's ear and may cleverly manipulate public opinion, the griot can achieve great power. Considered necessary to the social harmony of the group, he is both feared and scorned: feared for his ability to slander, and scorned for his subordinate role and extortionist technique. So, like the actor of Shakespeare's time, existing on the fringes of society, the griot is refused access to the village burial ground. Tradition demands that he be buried in the hollow trunk of the giant baobab tree.

The griot's style — one of anecdotes, puns, digressions — is well depicted in the stories of Birago Diop. Amadou Koumba (the griot whom Birago claims to have known as a child) emerges as the intermediary between the author and the public. We get a taste for Amadou Koumba's love of digression as he explains why Kakatar the Chameleon is impervious to the nasty rumors surrounding Golo the Monkey. Again, in the same tale, *Les Mauvaises Compagnies,* we learn that individual episodes, first the monkey's antics, then the chameleon's revenge, are the main focus of attention. The final scene, the mischievous Golo receiving his just punishment, a reminder that crime does not pay, is less important than the anecdotal episodes.

The storyteller uses common, everyday, ritualistic expressions. Thus, the monkey and the chameleon, meeting by chance one day, greet one another as two Muslims, "Assalamou aleykoum." — "Aleykoum salam" (Peace be with you!). The griot also likes to tease: "As for memories, the day the Lord gave them out, Golo the Monkey must have certainly arrived late!"

He resorts to puns as well. Golo considers crocodiles "les bêtes les plus bêtes des bêtes," playing on the dual meaning of *bête* in French, beast and stupid. It is also common for Amadou Koumba to depict an animal's psychological trait by making fun of a physical characteristic. The griot tells us (in *Maman-Caïman*) that Leuk the Hare has a conscience as mobile as the two bedroom slippers he wears clamped to his head! A good deal of slapstick comedy is present too. We have only to turn to the scene in *Les Calebasses de Kouss* in which the incorrigible hyena, Bouki, feigns a toothache and manages to grab Leuk's paw between his teeth. Later, in the same tale, he convinces Leuk that dawn has come by forcing the old mother to cough. He does so by starting to strangle her.

One of the most striking examples of repetition, essential to the folk tale, appears in Bernard Dadié's tale, *Le Miroir de la disette,* a story about Kacou Ananzè, the legendary spider whose overwhelming curiosity leads to his downfall. The first scene in which the hungry spider catches the tiny magical fish is reenacted word for word, gesture for gesture, when we find Kacou Ananzè hoping to snare the little creature a second time. In this tale we find also exaggeration of every motion, every word, every thought of the crafty spider. Since a famine has struck the land, all living creatures are so hungry, "their tummies so flat that you wonder whether they still contain intestines."

As interpreters of the griot's tales, both Birago Diop of Senegal and Bernard Dadié of Ivory Coast share a common tradition but delve into slightly different sources. Diop develops the Wolof cycle of Leuk-le-Lièvre (the hare) and Bouki-l'Hyène (the hyena) who cavort in the manner of Renart and Isengrin, the fox and the wolf of the French folk tradition. Dadié, on the other hand, depicts Kacou Ananzè, the crafty, often wicked spider of the Agni-Ashanti. In contrast to Leuk who retains his floppy ears and mangy coat, Dadié's spider changes shape, size, limbs, at will. In *Le Miroir de la disette,* for example, we find him standing — remarkable for a spider! — fishing with hook, line, and bobbing float!

The feats of Kacou Ananzé are less remarkable upon reflection, when we recall that the world of the African folk tale is the realm of the supernatural. Human beings talk to genies and spirits, to animals and trees. *Le merveilleux,* the realm of the supernatural, appears within these pages in forms well known to the Western world. Animals talk, monsters roam eerie forests, magic charms and special potions protect men, and genies give their aid and encouragement to the pure and the innocent so that good may triumph over evil.

Dadié's tale, *Le Pagne noir,* for example, presents a universal theme: the quest. A poor orphan, humiliated and constantly punished by a wicked stepmother, is challenged by the wicked woman to perform an impossible task — to turn a black cloth pure white by washing it clean. This mission leads Aïwa, the orphan, in search of streams and rivers. She wanders through mysterious lands of giant ants and awesome vultures. Yet good wins out; the young girl's deceased mother returns from the world beyond to turn the tables on the wicked stepmother. Aïwa's search results in her victory.

The African folk tale nevertheless offers a distinct perspective on the supernatural, one not common to Western culture. As Léopold Senghor explains in his introduction to *Les Nouveaux Contes d'Amadou Koumba* of Birago Diop, the frontier between life and death, between reality and imagination, is not clearly demarcated in Black Africa. Indeed, reality becomes truth only by breaking through the rigid framework of logic.

An African audience therefore is receptive to *le merveilleux* and accepts genies, spirits and magic within the natural order of things. The Western audience, on the other hand, establishes a clear distinction between objective and subjective reality. Tales of mystery, genies, enchanted forests are relegated to a childhood universe.

A great variety of spirit creatures weave in and out of the various tales. In this selection, for example, we meet the *Kouss,* long-haired goblins of Senegalese Wolof legends. Birago Diop presents them in *Les Calebasses de Kouss* as inhabitants of a universe in which reality is turned upside down. Reversing accepted custom and tradition, the Kouss roast the chicken's feathers, presumably for mealtime, and throw out the chicken. Moreover, they are manipulated by objects which we humans control to our own advantage: a heavy club or a bundle of kindling wood will grab a Kouss and toss him around when we would expect the reverse.

Les Calebasses de Kouss also informs us of the importance of the appropriate word within the context of the supernatural. Leuk-le-Lièvre, courteous to the talking baobab tree and to the Kouss family, learns that the proper conduct in word and deed leads to riches. Having engaged in dialogue with the spirits, he is handsomely rewarded. His companion, Bouki-l'Hyène, however, willfully rejects the rules. Ill-mannered and boorish, he insults his hosts. Refusing to converse with the spirits, he is denied accurate information by the young Kouss and is roundly punished for his poor behavior.

Just as the word is important, so is the song. Woven through most narratives are songs which, when performed, are accompanied by musical instruments; the voices of young and old join in the refrain. There are songs of woe and misfortune (*Le Pagne noir*), of exile (*La Légende Baoulé*), of warning (*Maman-Caïman*), of adoration (*Le Bonnet, la bourse et la canne magiques*). The various poems set to music, refrains which call for audience participation, succeed in reinforcing the atmosphere created by the storyteller as well as heightening the poetic quality of each work. Just as reality and the imaginary blend, so do poetry and prose.

The griot's art is tailored to the needs of his society. He instructs as well as amuses, preaching respect for one's ancestors and acceptance of the universe. The audience he addresses is a varied one — including the very young and the very old. Thus, stories infused with cryptic proverbs while known to the initiated are not always understood by all. On the other hand, the pantomime and mimicry meet with general appreciation. Indeed, the narrator is less a philosopher than an entertainer.

Great emphasis is placed upon respect for the tribal heritage; Maman-Caïman's children learn, all too late, that to ignore the teachings of the elders results in grave consequences and threatens the survival of the group. Similarly, the wise grandmother who supplies Liman with "le bonnet, la bourse et la canne magiques" also imparts her philosophy to him: "Wisdom consists in moving from wealth to poverty without regret." In addition, legends familiarize the public with their ancestral history, with the battles won and lost as well as with the sacrifices made. One learns for example that Queen Pokou of the Baoulé people was called upon to sacrifice her most cherished possession so as to save the tribe.

African literature of French expression as a whole — in poetry, theatre and novels, as well as in folk tales — sketches the exterior elements of African life: dress, food, lodging, flora and fauna. In addition, it expresses the more intimate world of human relationships, the bonds between men and women, adults and children, the individual and the community. Dadié's story *La Lueur du soleil couchant* presents the effect of a friendship and then a death upon the village community. In Birago Diop's tale, *Les Mamelles,* we see the difficulties which a man encounters when he has two wives. Finally, *L'Enfant noir* portrays the relationship between a young boy and his traditional father at a time when the child is still attuned to village life although the European school will soon cast its long shadow.

It is this last selection, drawn from Camara Laye's earliest novel, that best expresses the symbiotic relationship between Africa and her spirits. How well anchored to African village life are the griot's tales of genies and magic! We see how African society incorporates magic in work as well as play. Thus, a piece of jewelry takes shape before our eyes as the goldsmith utters magic words, communicating with the spirits of fire, wind, and gold. Unless the spirits assist, unless the black serpent, "genius of the race," is present during the process, the skilled artisan will not be able to accomplish his task. The word, the *gris-gris,* the griot's song, the black serpent — mystery that haunts the blackness of night — are called upon to aid and protect in the continual process of life, of creation.

Uncovering the lore of formerly impenetrable Africa, one discovers that African culture has too often been minimized by those who equated "oral tradition" with lack of culture. The imprint of colonialism (conquerors deriding the conquered) and linguistic barriers (before bilingual writers and anthropologists brought light to obscurity) have been responsible for · a gross simplification of Africa's offerings and attributes. Yet there are difficulties too when value systems clash, when a prohibition in one society is readily accepted in another. How does a monogamous culture come to terms with polygamy?

Finally, the last word must be reserved for these modern African writers who have exhibited skill and sensitivity in taking the oral tradition and transposing this art form to the printed page. Birago Diop is too modest when he says that he has recorded the words of the griot Amadou Koumba. We know better; his talent as an artist, as a writer, cannot be overlooked. Let us hope, therefore, that African civilization will continue unfolding for a wider, more knowledgeable and more understanding audience and that it will do so in full measure — in poetry, in song, in dance, drama, and in folk tales: *Au griot, la parole!*

Glossary
of African Terms

assalamou aleykoum [asalamu alekum] Muslim greeting: "Peace be with you."

badolo [badolo] a Senegalese peasant

baobab [baobab] giant tree that grows in West Africa. The fruit is called "pain de singe," or monkey-bread.

boubou [bubu] full cotton robe

brousse [brus] African brush or hinterland

calebasse [kalbas] hollow gourd used as a bowl or platter

canari [kanari] round piece of pottery used as a water jug

cauris [kaori] shell used for magical purposes, often attached to masks and sculpture

case [kaz] thatched roof hut of African villages

cora [kɔra] traditional stringed musical instrument which looks like a guitar but sounds more like a harp

couscous [kuskus] wheat cereal which is steam cooked and served with meat or chicken, vegetables, and sauce

Fouta-Djallon [futa djalõ] plateau region of Guinea

Fouta-Toro [futa tɔro] region on the banks of the Senegal River

fromager [fromaʒe] the tallest tree in Senegal, called the silk-cotton tree because of its fruit which is of a fluffy cotton substance

gambe [gãb] a gourd

gazelle [gazɛl] antelope renowned for its beauty and its speed

gombo [gõbo] spice used in West African cooking

gri-gri [grigri] magical charm worn for good luck and to ward off illness and spells cast by enemies

griot [grio]   poet, singer, historian, and storyteller of West Africa

indigo [ɛ̃digo]   blue dye used widely in African wearing apparel

kapok [kapɔk]   fibers used in life-saving devices because they float in water. The kapok tree is a form of *fromager*.

karité [karite]   "Beurre de karité" is used as grease. The tree is used for both edible and cosmetic purposes.

kola [kola]   The nut stimulates the appetite and is used in Africa as a symbol of hospitality.

kouss [kus]   long-haired goblins of Wolof legends

liane [ljan]   a creeping vine

Marabout [marabu]   a religious leader in the Muslim world

marigot [marigo]   marshy area

Maure [mɔr]   Mauretanian who generally moves to other West African areas to trade, keep shop, or make and sell silver articles

N'Galam [ngalam]   area in Eastern Senegal noted for its gold mines

pagne [paɲ]   traditional garment, a brightly colored cotton ankle-length skirt worn by West African women

paillote [pajɔt]   straw hut

peau de prière [po də prijɛr]   prayer rug of animal hide

piler le mil [pile lə mil]   to pound millet, a hard wheat grain

pirogue [pirɔg]   large canoe used for fishing and transportation

Ramadan [ramadã]   A Muslim is obliged to fast from sunrise to sunset during Ramadan, the ninth month of the calendar.

rônier [ronje]   a type of palm-tree

sakhett [sakɛt]   straw fence surrounding compound of huts

Sa-ndia'ye [sandjaj]   Wolof dance of spirits and genies

savane [savan]   region in which the rainy season alternates with a long dry season.

Tabaski [tabaski]   Muslim feast commemorated by each family sacrificing a lamb

tamarinier [tamarinje]   large, shady tree which supplies juice

tam-tam [tamtam]   drum

Toucouleur [tukulœr]   devoutly Muslim ethnic group inhabiting the region of the Fouta-Toro

vizir [vizir]   from the Arabic *wazir*, minister to a Muslim prince

zébu [zeby]   large-horned type of oxen found in Chad

Dance mask, Baoulé tribe (Ivory Coast)

Bernard Dadié
Côte d'Ivoire

lagune *f.*   étendue d'eau de mer
esclave *m.*   personne qui n'est pas libre, qui est sous la puissance absolue d'un maître
révolu   passé
magnan *m.*   ver à soie
paillotte *f.*   hutte en paille
fuir   courir pour échapper au danger
épine *f.*   pointe
pagne *m.*   vêtement indigène, de la ceinture aux genoux
chair *f.*   peau
sans trêve   sans arrêt
talonné   poursuivi de près; si l'on marche sur les talons de quelqu'un, on le suit de très près.
ricaner   rire
sanglier *m.*   porc sauvage
grogner   pousser un cri de mécontentement

1

La Légende Baoulé

La légende nous explique comment le peuple Baoulé reçut son nom. Elle met en relief l'héroïsme de la reine Pokou qui, pour sauver son peuple, sacrifia ce qu'elle avait de plus cher.

Il y a longtemps, très longtemps, vivait au bord d'une lagune calme, une tribu paisible de nos frères. Ses jeunes hommes étaient nombreux, nobles et courageux, ses femmes étaient belles et joyeuses. Et leur reine, la reine Pokou, était la plus belle parmi les plus belles. 5

Depuis longtemps, très longtemps, la paix était sur eux et les esclaves mêmes, fils des captifs des temps révolus, étaient heureux auprès de leurs heureux maîtres.

Un jour, les ennemis vinrent nombreux comme des magnans. Il fallut quitter les paillotes, les plantations, la lagune pois- 10 sonneuse, laisser les filets, tout abandonner pour fuir.

Ils partirent dans la forêt. Ils laissèrent aux épines leurs pagnes, puis leur chair. Il fallait fuir toujours, sans repos, sans trêve, talonné par l'ennemi féroce.

Et leur reine, la reine Pokou, marchait la dernière, portant au 15 dos son enfant.

A leur passage l'hyène ricanait, l'éléphant et le sanglier fuyaient, le chimpanzé grognait et le lion étonné s'écartait du chemin.

3

broussaille *f.* végétation du sous-bois
savane *f.* vaste prairie
rônier *m.* palmier africain
horde *f.* tribu
brousse *f.* région qui n'est pas cultivée, étendue couverte de petites
  plantes mal développées
exténué à l'extrémité de la fatigue
mugir faire le bruit d'un taureau
flot *m.* dit de toutes les eaux en mouvement: les flots de la mer
cime *f.* sommet
effroi *m.* grande peur
naguère (adv.) récemment
excitât (imp. du subj. d'**exciter**)
s'apaiser redevenir paisible, se calmer
retentir se faire entendre

Enfin, les broussailles apparurent, puis la savane et les rô-
niers et, encore une fois, la horde entonna son chant d'exil:

> *Mi houn Ano, Mi houn Ano, blâ ô*
> *Ebolo nigué, mo ba gnan min —*
> *Mon mari Ano, mon mari Ano, viens,*   5
> *Les génies de la brousse m'emportent.*

Harassés, exténués, amaigris, ils arrivèrent sur le soir au bord
d'un grand fleuve dont la course se brisait sur d'énormes rochers.

Et le fleuve mugissait, les flots montaient jusqu'aux cimes des
arbres et retombaient et les fugitifs étaient glacés d'effroi.   10

Consternés, ils se regardaient. Etait-ce là l'Eau qui les faisait
vivre naguère, l'Eau, leur grande amie? Il avait fallu qu'un
mauvais génie l'excitât contre eux.

Et les conquérants devenaient plus proches.

Et, pour la première fois, le sorcier parla: 15

«L'eau est devenue mauvaise, dit-il, et elle ne s'apaisera que
quand nous lui aurons donné ce que nous avons de plus cher.»
Et le chant d'espoir retentit:

> *Ebe nin flê nin bâ*
> *Ebe nin flâ nin nan*   20
> *Ebe nin flê nin dja*
> *Yapen'sè ni djà wali*
> *Quelqu'un appelle son fils*
> *Quelqu'un appelle sa mère*
> *Quelqu'un appelle son père*   25
> *Les belles filles se marieront.*

Et chacun donna ses bracelets d'or et d'ivoire, et tout ce qu'il
avait pu sauver.

Mais le sorcier les repoussa du pied et montra le jeune prince,
le bébé de six mois: «Voilà, dit-il, ce que nous avons de plus 30
précieux.»

Et la mère, effrayée, serra son enfant sur son cœur. Mais la
mère était aussi la reine et, droite au bord de l'abîme, elle leva
l'enfant souriant au-dessus de sa tête et le lança dans l'eau mu-
gissante.   35

Alors des hippopotames, d'énormes hippopotames émergèrent

rive *f.*   bande de terre qui borde l'eau

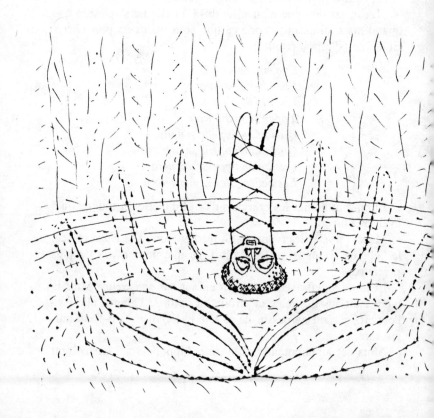

et, se plaçant les uns à la suite des autres, formèrent un pont et sur ce pont miraculeux, le peuple en fuite passa en chantant:

> *Ebe nin flê nin bâ*
> *Ebe nin flê nin nan*
> *Ebe nin flê in dja*   5
> *Yapen'sè ni djà wali*
> *Quelqu'un appelle son fils*
> *Quelqu'un appelle sa mère*
> *Quelqu'un appelle son père*
> *Les belles filles se marieront.*   10

Et la reine Pokou passa la dernière et trouva sur la rive son peuple prosterné.

Mais la reine était aussi la mère et elle put dire seulement «baouli», ce qui veut dire: l'enfant est mort.

Et c'était la reine Pokou et le peuple garda le nom de Baoulé. 15

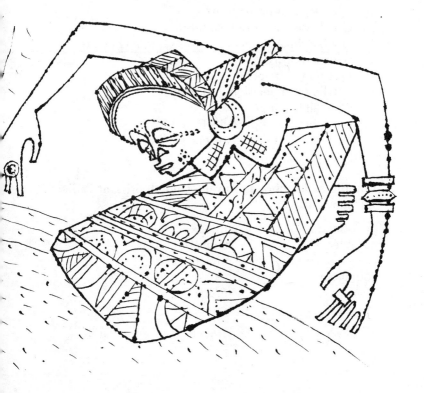

Exercices

A. Répondez aux questions suivantes:

1. Où vivait la tribu?
2. Que se passe-t-il un jour?
3. Quelle décision prend la tribu?
4. Quels animaux rencontrent-ils sur leur chemin?
5. Où arrivent-ils?
6. Que dit le sorcier?
7. Quelle est la décision du sorcier?
8. Que fait la reine?
9. Quel miracle se produit-il?
10. Comment la tribu reçoit-elle son nom?

B. Complétez les phrases suivantes en choisissant l'adjectif qui convient:

poissonneux	furieux
paisible	mauvais
cher	miraculeux
courageux	heureux
beau	féroce
sauvage	mugissant

1. Il y a longtemps, très longtemps, vivait une tribu . . .

2. Les esclaves étaient . . . auprès de leurs maîtres.
3. Un jour il fallut quitter la lagune . . .
4. La reine et son peuple craignaient l'ennemi . . .
5. A leur passage fuyaient les animaux . . .
6. Ils arrivèrent au bord d'un grand fleuve . . .
7. L'eau est devenue . . ., dit le sorcier.
8. Elle ne s'apaisera que quand nous lui aurons donné ce que nous avons de plus . . .
9. Droite au bord de l'abîme, la reine . . . sacrifia le prince.
10. Alors des hippopotames, se plaçant les uns à la suite des autres, formèrent un pont . . .

accouchement *m.*   naissance d'un enfant

matrone *f.*   sage-femme, celle qui aide les femmes à accoucher

accouru (part. passé d'**accourir**)   venir en courant, en se pressant

soupir *m.*   expression de la douleur, de la souffrance

marâtre *f.*   femme du père par rapport aux enfants qu'il a eus d'un premier mariage

accabler   humilier par la parole

quolibet *m.*   propos moqueur et injurieux

corvée *f.*   travail difficile

ravir   plaire beaucoup

orpheline *f.*   fille qui a perdu ses parents

2

Le Pagne noir

Bien que la petite orpheline, Aïwa, privée de l'amour maternelle, soit condamnée à souffrir aux mains d'une marâtre méchante et envieuse, elle n'est pas sans défense. Voyons comment elle réussit à vaincre la méchante dame.

Il était une fois, une jeune fille qui avait perdu sa mère. Elle l'avait perdue, le jour même où elle venait au monde.

Depuis une semaine, l'accouchement durait. Plusieurs matrones avaient accouru. L'accouchement durait. 5

Le premier cri de la fille coïncida avec le dernier soupir de la mère.

Le mari, à sa femme, fit des funérailles grandioses. Puis le temps passa et l'homme se remaria. De ce jour commence le calvaire de la petite Aïwa. Pas de privations et d'affronts qu'elle 10 ne subisse; pas de travaux pénibles qu'elle ne fasse! Elle souriait tout le temps. Et son sourire irritait la marâtre qui l'accablait de quolibets.

Elle était belle, la petite Aïwa, plus belle que toutes les jeunes filles du village. Et cela encore irritait la marâtre qui enviait 15 cette beauté resplendissante, captivante.

Plus elle multipliait les affronts, les humiliations, les corvées, les privations, plus Aïwa souriait, embellissait, chantait — et elle chantait à ravir — cette orpheline. Et elle était battue à cause de sa bonne humeur, à cause de sa gentillesse. Elle était 20

11

vaincre   sortir victorieux de la bataille

lueur *f.*   lumière faible et diffuse

fauve (adj.)   d'un jaune qui tire sur le roux

freiner   arrêter

case *f.*   habitation africaine, hutte en paille

kaolin *m.*   porcelaine

larme *f.*   le fait de pleurer

sanglot *m.*   respiration brusque et bruyante qui se produit quand on pleure

semer des braises   répandre le charbon réduit en cendres; ici, renforcer la colère

à bras raccourcis   de toutes ses forces

pendant une lune   pendant tout le mois

nénuphar *m.*   plante qui pousse dans l'eau et dont la fleur est très jolie

berge *f.*   rive

crapaud *m.*   cousin de la grenouille

enfler   faire augmenter de volume

battue parce que courageuse, la première à se lever, la dernière
à se coucher. Elle se levait avant les coqs, et se couchait lorsque
les chiens eux-mêmes s'étaient endormis.

La marâtre ne savait vraiment plus que faire pour vaincre
cette jeune fille. Elle cherchait ce qu'il fallait faire, le matin,   5
lorsqu'elle se levait, à midi, lorsqu'elle mangeait, le soir, lorsqu'elle somnolait. Et ces pensées par ses yeux, jetaient des
lueurs fauves. Elle cherchait le moyen de ne plus faire sourire
la jeune fille, de ne plus l'entendre chanter, de freiner la splen-
deur de cette beauté.   10

Elle chercha ce moyen avec tant de patience, tant d'ardeur,
qu'un matin, sortant de sa case, elle dit à l'orpheline:

— Tiens! va me laver ce pagne noir où tu voudras. Me le
laver de telle sorte qu'il devienne aussi blanc que le kaolin.

Aïwa prit le pagne noir qui était à ses pieds et sourit. Le   15
sourire pour elle, remplaçait les murmures, les plaintes, les
larmes, les sanglots.

Et ce sourire magnifique qui charmait tout, à l'entour, au
cœur de la marâtre, sema des braises. A bras raccourcis, elle
tomba sur l'orpheline qui souriait toujours.   20

Enfin, Aïwa prit le linge noir et partit. Après avoir marché
pendant une lune, elle arriva au bord d'un ruisseau. Elle y plongea le pagne. Le pagne ne fut point mouillé. Or l'eau coulait
bien, avec dans son lit, des petits poissons, des nénuphars. Sur
ses berges, les crapauds enflaient leurs voix comme pour effrayer   25
l'orpheline qui souriait. Aïwa replongea le linge noir dans l'eau
et l'eau refusa de le mouiller. Alors elle reprit sa route en
chantant.

> *Ma mère, si tu me voyais sur la route,*
> *Aïwa-ô! Aïwa!*   30
> *Sur la route qui mène au fleuve*
> *Aïwa-ô! Aïwa!*
> *Le pagne noir doit devenir blanc*
> *Et le ruisseau refuse de le mouiller*
> *Aïwa-ô! Aïwa!*   35
> *L'eau glisse comme le jour*
> *L'eau glisse comme le bonheur*
> *O ma mère, si tu me voyais sur la route,*
> *Aïwa-ô! Aïwa!*

13

fromager *m.*   très grand arbre africain, à bois blanc et tendre, dont le fruit fournit le kapok, fibre très légère

fourmi *f.*   petit insecte qui vit en colonies nombreuses

consigne *f.*   ordre

vautour *m.*   oiseau carnivore de grande taille, qui mange des bêtes mortes

lieue *f.*   mesure de distance, environ quatre kilomètres

serre *f.*   ongle ou griffe de certains oiseaux

Elle repartit. Elle marcha pendant six autres lunes.

Devant elle, un gros fromager couché en travers de la route et dans un creux du tronc, de l'eau, de l'eau toute jaune et bien limpide, de l'eau qui dormait sous la brise, et tout autour de cette eau de gigantesques fourmis aux pinces énormes, montaient la 5 garde. Et ces fourmis se parlaient. Elles allaient, elles venaient, se croisaient, se passaient la consigne. Sur la maîtresse branche qui pointait un doigt vers le ciel, un doigt blanchi, mort, était posé un vautour phénoménal dont les ailes sur des lieues et des lieues, voilaient le soleil. Ses yeux jetaient des flammes, des 10 éclairs, et les serres, pareilles à de puissantes racines aériennes, traînaient à terre. Et il avait un de ces becs!

Dans cette eau jaune et limpide, l'orpheline plongea son linge noir que l'eau refusa de mouiller.

rosée *f.*   condensation de la vapeur en petites gouttes d'eau

liane *f.*   plante grimpante de la région de la forêt tropicale

bousculer   faire tomber

hélé (part. passé)   appelé

franchir des étapes   surmonter des obstacles successifs

clairière *f.*   endroit dénudé d'arbres dans un bois

sourdre   se dit de l'eau qui sort de la terre

s'agenouiller   se mettre à genoux

frissonner   trembler légèrement

ampoule *f.*   petite tumeur

> *Ma mère, si tu me voyais sur la route,*
> *Aïwa-ô! Aïwa!*
> *La route de la source qui mouillera le pagne noir*
> *Aïwa-ô! Aïwa!*
> *Le pagne noir que l'eau du fromager refuse de mouiller*   5
> *Aïwa-ô! Aïwa!*

Et toujours souriante, elle poursuivit son chemin.

Elle marcha pendant des lunes et des lunes, tant de lunes qu'on ne s'en souvient plus. Elle allait le jour et la nuit, sans jamais se reposer, se nourrissant de fruits cueillis au bord du 10 chemin, buvant la rosée déposée sur les feuilles.

Elle atteignit un village de chimpanzés, auxquels elle conta son aventure. Les chimpanzés, après s'être tous et longtemps frappé la poitrine des deux mains en signe d'indignation, l'autorisèrent à laver le pagne noir dans la source qui passait dans le 15 village. Mais l'eau de la source, elle aussi, refusa de mouiller le pagne noir.

Et l'orpheline reprit sa route. Elle était maintenant dans un lieu vraiment étrange. La voie devant elle s'ouvrait pour se refermer derrière elle. Les arbres, les oiseaux, les insectes, la 20 terre, les feuilles mortes, les feuilles sèches, les lianes, les fruits, tout parlait. Et dans ce lieu, nulle trace de créature humaine. Elle était bousculée, hélée, la petite Aïwa! qui marchait, marchait et voyait qu'elle n'avait pas bougé depuis qu'elle marchait. Et puis, tout d'un coup, comme poussée par une force 25 prodigieuse, elle franchissait des étapes et des étapes qui la faisait s'enfoncer davantage dans la forêt où régnait un silence angoissant.

Devant elle, une clairière et au pied d'un bananier, une eau qui sourd. Elle s'agenouille, sourit. L'eau frissonne. Et elle 30 était si claire, cette eau que là-dedans se miraient le ciel, les nuages, les arbres.

Aïwa prit de cette eau, la jeta sur le pagne noir. Le pagne noir se mouilla. Agenouillée sur le bord de la source, elle mit deux lunes à laver le pagne noir qui restait noir. Elle regardait 35 ses mains pleines d'ampoules et se remettait à l'ouvrage.

enterrer   déposer le corps de quelqu'un dans la terre

> *Ma mère, viens me voir!*
> > *Aïwa-ô! Aïwa!*
> *Me voir au bord de la source,*
> > *Aïwa-ô! Aïwa!*
> *Le pagne noir sera blanc comme kaolin*   5
> > *Aïwa-ô! Aïwa!*
> *Viens voir ma main, viens voir ta fille!*
> > *Aïwa-ô! Aïwa!*

A peine avait-elle fini de chanter que voilà sa mère qui lui tend un pagne blanc, plus blanc que le kaolin. Elle lui prend le 10 linge noir et sans rien dire, fond dans l'air.

Lorsque la marâtre vit le pagne blanc, elle ouvrit des yeux stupéfaits. Elle trembla, non de colère cette fois, mais de peur; car elle venait de reconnaître l'un des pagnes blancs qui avait servi à enterrer la première femme de son mari.   15

Mais Aïwa, elle, souriait. Elle souriait toujours.

Elle sourit encore du sourire qu'on retrouve sur les lèvres des jeunes filles.

Exercices

A. Répondez aux questions suivantes:

1. Pourquoi la petite fille était-elle battue?
2. Qui était méchante, Aïwa ou la marâtre?
3. Que fait la marâtre pour vaincre la petite orpheline?
4. Qu'est-ce qui se passe quand Aïwa plonge le pagne dans l'eau?
5. Après avoir marché pendant six autres lunes où trouve-t-elle de l'eau?
6. Comment arrive-t-elle à manger et à boire pendant le long voyage?
7. Quels animaux rencontre-t-elle?
8. Qu'est-ce qu'elle voit au bout du chemin?
9. Qu'est-ce que sa mère lui donne?
10. Comment la marâtre reçoit-elle le pagne? Pourquoi?

B. En utilisant les mots suivants composez au moins cinq phrases:

l'eau	la marâtre	la source	blanc
l'orpheline	le chemin	les oiseaux	le sourire
les privations	la peur	le pagne	noir

20

C. Décrivez un lieu vraiment étrange où passe la petite orpheline.

Parlez des créatures qu'elle y rencontre, du paysage qui lui fait peur, et des choses étranges qui se passent.

disette *f.*   famine

araignée *f.*   petit animal qui tisse une toile pour attraper sa victime

se volatiliser   s'évaporer

sort *m.*   destin; **braver le sort**   défier le destin

éblouissement *m.*   trouble de la vue

cauchemar *m.*   rêve effrayant

outre *f.*   peau de bouc cousue en forme de sac; **plein comme une outre**   avoir trop bu, trop mangé

boudeur   mélancolique

se pâmer   s'évanouir, perdre connaissance

aise *f.*   état d'une personne contente

chatouiller   toucher la peau d'une manière qui provoque le rire

plante *f.*   dessous du pied

ensorceleur   enchanteur

3

Le Miroir
de la disette
Première Partie

*Pénétrons dans le merveilleux avec Kacou Ananzè,
l'araignée courageuse et curieuse. Hélas, Araignée
ne peut pas vaincre sa curiosité et se trouve réduite
à la famine après avoir goûté les délices de la ville
merveilleuse.*

C'était un miroir dans lequel il ne fallait jamais
se mirer, sinon pss! toutes les bonnes choses fuyaient, disparais-
saient, se volatilisaient. Et pour tenter la chose il fallait être
Araignée, brave, audacieuse, intrépide comme Araignée; curieuse mais bête comme Araignée. Et ce fut encore Kacou 5
Ananzè qui brava le sort. Et cela, après qu'il eut connu les
éblouissements, les idées noires, les cortèges de cauchemars que
la faim toujours traîne après elle. Cela, après que son ventre
plein comme une outre et résonnant tel un tam-tam bien chauffé,
lui eût permis de goûter l'éternel refrain de la vie, de contempler 10
le rose boudeur d'un soleil fatigué de tout le temps courir après
une lune insaisissable; de se pâmer d'aise parce que la brise du
soir lui chatouillait la plante des pieds. Ce soir-là, elle lui
chatouillait tellement la plante des pieds, que . . . , lui entra tellement dans le cou, dans les oreilles que . . . , la brise se fit sé- 15
duisante, ensorceleuse à tel point qu'il se dit: «Pourquoi ne pas
me mirer dans le miroir?»

Ah! Je vous entends vous écrier: «Faut-il donc être un parfait
idiot pour en arriver là!» Pardon! Et nous autres, nous autres

démonter   défaire
loger à la même enseigne   éprouver le même préjugé
embarras *m.*   obstacle
traquenard *m.*   piège pour attraper des animaux
décupler   augmenter, rendre dix fois plus grand
fouetter   frapper avec un fouet; ici, exciter, animer
s'égarer   se tromper de chemin
charrier   emporter
fendiller   crevasser
parure *f.*   bijou
rameau *m.*   petite branche d'arbre
ramille *f.*   petit rameau
radicelle *f.*   petit filament des racines
puiser   prendre
sève *f.*   liquide nutritif tiré du sol par les plantes et les arbres
chercher noise   quereller

qui tout le temps analysons notre bonheur, démontons nos jouets
pour en voir le mécanisme, ne sommes-nous pas logés à la même
enseigne, en fait de curiosité? Et puis sachez et comprenez une
fois pour toutes qu'on n'est pas un idiot lorsqu'on se nomme
Kacou Ananzè. S'il se permet certaines audaces, c'est qu'il a 5
toujours dans la tête plus d'un tour et sur la langue des phrases
prêtes à le sortir d'embarras. Ah! non, l'on ne prend pas comme
cela Kacou Ananzè. Les anciens, pour l'avoir, se mettaient par
dix, par vingt, par cent... mais toujours, il sortait vainqueur des
traquenards les plus réussis. Car lorsqu'ils croyaient lui tenir le 10
bras, ils n'avaient qu'une jambe, et lorsqu'ils étaient convaincus
le tenir par le tronc, entre leurs mains, il n'était qu'un tronc
d'arbre.

Il aime les situations difficiles, les obstacles qui accroissent ses
facultés, décuplent son intelligence, fouettent son ingéniosité, 15
Kacou Ananzè!

La famine donc était au village. Les pluies, trois années suc-
cessives, avaient manqué au rendez-vous. Plus un seul nuage
noir ne s'égarait dans le ciel. Les nuages, affamés, mouraient-
ils en route? Le soleil, de colère, grillait tout, et le vent, pour lui 20
faire la cour, ne cessait de charrier du sable. Les herbes ne
poussaient plus. La terre sèche, chaque jour se fendillait, se
craquelait davantage. Non content d'incendier des forêts, le
soleil flambait des cases. Les arbres dénudés, faisaient pitié à
voir. Ils ressemblaient à une femme dont on aurait rasé la 25
chevelure, enlevé les parures. Les branches, les rameaux, les
ramilles, on les aurait pris pour des racines, des radicelles cherchant à puiser dans l'air surchauffé une sève qu'elles ne trouvaient plus dans un sol sans eau. La détresse était générale. On
ne pouvait accuser tel ou tel d'en être la cause, puisque tout le 30
monde cette fois souffrait de la famine. Au début, on avait
essayé de chercher noise au Singe parce qu'il disait être le roi des
rois. Et pour expliquer sa prétention, il allait, racontant à tout
venant: «Les rois s'asseyent sur un siège fait du tronc d'arbre
sur lequel, moi, je grimpe pour faire mes besoins. Qui donc est 35
le roi?»

se gausser   se moquer de quelqu'un

féticheur *m.*   prêtre des religions à fétiches en Afrique; le fétiche est un objet auquel on attribue un pouvoir magique

affres *f. pl.*   tourments, tortures

vertige *m.*   état d'une personne qui ne sait plus ce qu'elle fait, qui a la tête qui tourne

bourdonnement *m.*   bruit fait par certains insectes, surtout des abeilles

coquillage *m.*   fruit de mer

mordiller   mordre légèrement et à plusieurs reprises

hameçon *m.*   petit crochet de métal qu'on utilise pour prendre le poisson

s'apprêter   se préparer

enferrer   percer

proie *f.*   victime

purger   débarrasser

linceul *m.*   pièce de toile qui couvre un mort

se tasser   plier sur soi

remous *m.*   agitation

tourbillon *m.*   tournoiement rapide

écume *f.*   mousse qui se forme à la surface de l'eau

onde *f.* vague, masse d'eau qui soulève et s'abaisse en se déplaçant

L'homme, pour se venger du Singe qui parlait de lui sans le nommer, allait racontant à tout un chacun:

«Le Singe, le Singe, c'est lui qui nous apporte tous ces malheurs. A force de tout le temps monter sur les arbres pour faire ses besoins, voilà ce qu'il nous a attiré.»   5

Mais allez donc chercher noise au Singe par un temps pareil, un temps où, lui Singe, sautillant sur les branches, disait implorer Dieu! L'homme donc n'eut aucune audience. Et pour une fois encore, les animaux se gaussèrent de lui.

La famine chaque jour, devenait plus atroce. Les féticheurs, 10 malgré toutes leurs cérémonies compliquées n'étaient point parvenus à attirer sur le pays, le moindre nuage. Pas même un fantôme de brume. La famine donnait la main à la mort. Elle lui donnait les deux mains, tant les êtres mouraient, mouraient.

N'échappant pas au sort commun, Kacou Ananzè sentait lui 15 aussi les affres de la faim: crampes à l'estomac, vertiges, douleurs dans les articulations, bourdonnements dans les oreilles, troubles dans la vision, et une faiblesse générale. Il se demandait chaque soir, s'il allait le lendemain, pouvoir se lever.

Pour tenir, il se fit pêcheur. Il pêchait tout le temps. Ananzè 20 avait acquis dans l'art de pêcher, une habilité incontestable. Il jetait sa ligne et ramenait quelque coquillage. Mais comme pour jouer, un de ces mille habitants de l'eau mordillait à l'hameçon, entraînait le flotteur au fond pour le laisser remonter au moment précis où notre pêcheur s'apprêtait à tirer dessus pour enferrer 25 la proie. Ah! les bandits, les bandits qui refusaient de se laisser prendre. Mais il ne se fâchait point. A quoi cela aurait-il servi? Il était devenu patient. Le temps du reste commandait la patience.

Kacou Ananzè pêchait. Souvent, il passait la nuit sur la berge 30 chaude, purgée des moustiques. L'eau en se retirant chaque jour davantage dans son lit, laissait partout du sable blanc, qui sous la lune semblait un immense linceul. L'eau se tassait dans son lit pour lutter contre la sécheresse, contre le soleil qui chauffait tout. Oh! c'en était fini de ces cascades, de ces remous, de ces 35 tourbillons, de ces chutes d'eau couronnées d'écumes! L'eau repoussait loin sur ses bords les arbres, naguère luxuriants qui se penchaient sur l'onde miroitante, pour à loisir contempler

frisé   bouclé, les cheveux mis en petites boules fines et serrées
joyau *m.*   bijou
palétuvier *m.*   grand arbre tropical
calciné   brûlé
lentille *f.*   plante qui pousse dans l'eau
brindille *f.*   petite branche
assoiffé   qui a soif

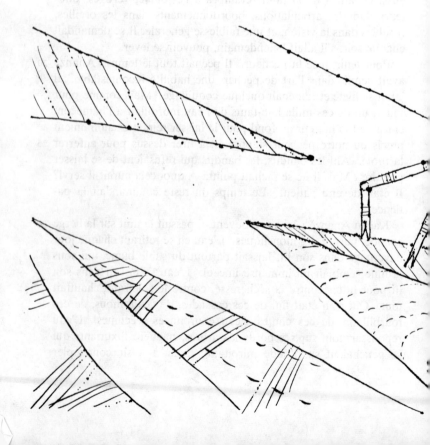

leurs colliers de lianes, leurs chevelures frisées, leurs joyaux de
fruits. Des roseaux et des palétuviers n'en parlons pas. Tous
avaient disparu: morts, calcinés. Ayant divorcé d'avec la forêt,
les eaux tristement coulaient sans chanson, sans le moindre murmure, un murmure pareil à celui qu'on entendait aux pieds des 5
arbres lorsque l'eau était encore l'amie de la forêt.

L'eau des lagunes, des fleuves, toutes ces eaux blanches,
noires, bleues qui promenaient des lentilles d'eau et des nénuphars, des touffes de roseaux tournant sur eux-mêmes, s'accrochant ici un moment comme pour donner des nouvelles, repar- 10
tant tout à coup comme pressés d'être au terme de leur voyage,
toutes ces eaux avec leurs flottilles et brindilles ramassées çà et
là, ces eaux pour survivre, luttaient péniblement contre le soleil
assoiffé, chauffé à blanc. Et elles somnolaient, coulaient à peine.
Il fallait les voir, ces eaux qui chaque jour baissaient de niveau! 15
Avaient-elles faim, elles aussi?

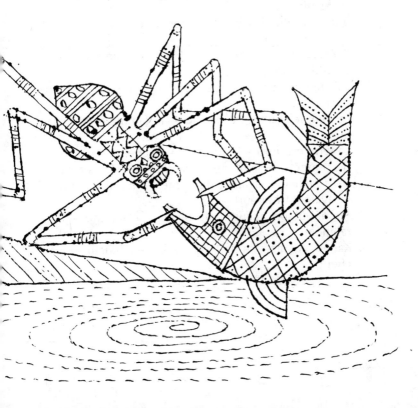

Exercices

A. Trouvez la réponse:

1. Il ne faut pas se mirer dans (la source — la chambre — le miroir).
2. Sinon, toutes les bonnes choses vont (reprendre — disparaître — continuer).
3. (L'Araignée — Le Singe — L'Homme) aime les situations difficiles.
4. L'Araignée est (audacieuse — dangereuse — menteuse).
5. Le peuple souffre de (la soif — la famine — la maladie).
6. La terre est (fertile — humide — sèche).
7. (La tempête — la brume — la pluie) n'est pas arrivée.
8. Les féticheurs (avaient du succès — n'ont pas réussi — avaient très peur).
9. Au début on accusait (le Singe — l'Homme — L'Araignée).
10. Kacou Ananzè se fait (chasseur — pêcheur — féticheur).

Le Miroir de la disette

B. Vocabulaire:

I	II
1. le cauchemar	a. monter
2. chatouiller	b. quereller
3. la berge	c. l'obstacle
4. la disette	d. irriter
5. chercher noise	e. la rive
6. la brume	f. le courage
7. l'hameçon	g. le piège
8. le bourdonnement	h. le brouillard
9. l'embarras	i. la querelle
10. grimper	j. la famine
	k. le bruit
	l. le rêve

filet *m.*   écoulement fin et continu

se ramasser sur eux-mêmes   se blottir, se mettre en boule pour prendre moins de place

flaque *f.*   petite nappe d'eau stagnante

derechef   encore une fois

piquer   s'élancer directement

boyaux *m. pl.*   intestins

cligner   fermer rapidement les yeux

4

Le Miroir
de la disette
Seconde partie

Kacou Ananzè pêchait. Il pêchait obstinément au bord des filets d'eau. Les grands fleuves qui effrayaient les hommes et par l'étendue, et par la profondeur, les fleuves aux cours tumultueux, mangeant les hommes et les animaux domestiques, tous ces fleuves à force de battre en retraite, de se ramasser sur eux-mêmes pour résister, étaient devenus des filets, des flaques. Parfois, une hirondelle égarée dans ce pays torride buvait de cette eau. Brûlée jusqu'aux entrailles, elle se levait derechef avec des cris de désespoir, piquait vers le ciel comme pour aller dire à Dieu: «Les êtres meurent, les êtres meurent! Il faut les sauver!».

En effet la terre se dépeuplait. Les êtres se promenaient avec des ventres plats, si plats qu'on se demandait s'ils contenaient encore des boyaux.

Kacou Ananzè pêchait. Depuis une semaine le flotteur ne bougeait plus. Il ne clignait même pas de l'œil, comme on dit chez nous, pour dire à Ananzè: «Regarde! Attention! une proie est au bout de la ligne.» Le flotteur était muet.

— Ah, j'y suis! Je n'étais pas assis à ma place habituelle.

Il s'asseyait à sa place habituelle. Le flotteur ne bougeait toujours pas.

— Tiens! Je n'avais pas cette pose. Mais comment étais-je assis?

— J'avais les pieds écartés comme cela, la tête à droite, et le sac à gauche.

bavarder   parler beaucoup
écarquillé   très ouvert
silure *m.*   poisson-chat
épargner   sauver, traiter avec clémence
baliverne *f.*   propos futile et creux

Il prenait cette pose-là, mais le flotteur toujours ne bougeait pas.

— Comme je suis bête! Ma ligne, je ne la tenais pas de cette façon! Voilà... c'est comme cela que je la tenais lorsque je prenais des coquillages. 5

Il tenait comme cela sa ligne. Et le flotteur toujours ne bougeait pas.

— Quel sort m'a-t-on jeté? Vais-je moi aussi, mourir de faim? Moi, Kacou Ananzè? Mourir de faim? Jamais! La Mort m'a-t-elle bien regardé? La faim m'a-t-elle bien pesé? Et il re- 10 jetait la ligne. Et le flotteur toujours ne bougeait pas. Maintenant Kacou Ananzè avait des éblouissements, des mirages, entendait des voix. Il bavardait tout seul, pour ensuite imposer silence comme si c'était d'autres gens qui bavardaient...

— Quoi? Qu'est-ce qui se passe? Je vous le demande. Est-ce 15 vrai? Le flotteur! Le flotteur! Regardez-le! Il bouge! Il plonge! vous le voyez?

Kacou Ananzè les yeux écarquillés, regardait le flotteur, le flotteur qui bougeait en faisant de petites ondes autour de lui.

— Faut-il tirer? Comment tirer pour amener quelque coquil- 20 lage?

Le flotteur a disparu dans l'eau. Notre pêcheur se lève, pose une jambe ici, une jambe là, comme çà, retient son souffle, ferme les yeux, penche le corps, et «fihô!» ramène sa ligne au bout de laquelle se balançait un Silure, aussi gros que le petit doigt d'un 25 nouveau-né. Il se précipite dessus, le prend des deux mains, danse, Kacou Ananzè. Mais voilà que le petit Silure, gros comme le petit doigt d'un nouveau-né, lui murmure, tout tremblant:

— Epargne-moi, papa Ananzè.

— Que dis-tu? 30

— Laisse-moi dans l'eau et tu seras heureux.

— Je connais la chanson. Je la dis souvent à certains individus, mes dupes.

— Crois-moi, tu seras heureux.

— Assez de balivernes. Je ne serai heureux que lorsque je te 35 sentirai dans mon ventre.

— Ecoute-moi.

— Parle.

35

bambin *m.*   enfant
apanage *m.*   privilège
timbre *m.*   son, sonorité
moelleux   souple, qui a de la douceur au toucher
nacelle *f.*   petit bateau
houle *f.*   mouvement de la mer
brocanter   faire commerce d'objets anciens et de curiosités
âpreté *m.*   ardeur, violence d'une discussion
excluât   (imp. du subj. d'**exclure**)
quant à (*prep.*)   pour ce qui est de
eldorado *m.*   paradis

— Il faut monter sur le fromager qui est là, sur la douzième branche.

— La plus flexible?

— Celle-là même. Laisse-toi tomber de là, et tu auras tout ce que tu désires.

— Tu n'es pas du tout bête, petit Silure, gros comme le petit doigt d'un nouveau-né. Par exemple! C'est à moi que tu dis cela, à moi, le maître des ruses? Ce que la Mort n'a pu faire, tu le veux réussir? Jamais! Monter sur le fromager, me laisser tomber, rompre le cou sur les conseils d'un bambin comme toi! Mais dans cette histoire, quels auraient été l'apanage de l'âge, le rôle de l'intelligence, et le privilège de l'expérience?

— Crois-moi.

La voix était si suppliante, le timbre si franc, que Kacou Ananzè tenta l'aventure. En deux bonds, il fut au pied du fromager, qu'il grimpa. On eût dit que des milliers de bras le poussaient, l'attiraient vers la douzième branche. Et le tronc, malgré les épines énormes lui semblait lisse, moelleux. Le petit Silure, sur la berge blanche de lumière, lui faisait signe. Et il n'était plus petit, mais gros, gros.

Ananzè ferme les yeux et «floup», saute, mais de façon à ne pas venir la tête la première. Un cou rompu, c'est la mort; un membre qui se fracture, c'est encore la vie. A peine avait-il abandonné la douzième branche jouant à la nacelle balancée par la houle qu'il se vit soudain dans la ville la plus opulente et la plus merveilleuse du monde, le centre le plus actif du globe. Des hommes allaient, venaient, achetaient, échangeaient, négociaient, brocantaient, spéculaient, transportaient, évacuaient, livraient, sans que l'âpreté des débats, des discussions, exclût la courtoisie qui était la première règle dans ce pays féérique. Et partout des palais et des lumières de toutes les couleurs qui donnaient à cette ville, la nuit comme le jour, un aspect véritablement magique. Sous ses yeux, ce n'étaient que des décors changeants. Quant à l'abondance, inutile d'en parler. Rien qu'à l'aspect jovial, luisant des habitants, on savait dans quel eldorado l'on était. Chacun d'eux était la santé en personne. Une ville prodigieuse tant par l'étendue et l'activité, que par la densité de la population. Kacou Ananzè, étonné, murmurait:

engraisser   faire grossir
bourrelet *m.*   pli arrondi
vibrisse *f.*   poil à l'intérieur du nez
déferrer   enlever le crochet

«Il ne m'a pas trompé, le petit Silure!»

Il était tombé dans un champ où il poussait de tout. Et il mangeait, mangeait. Et il engraissait. Il avait des joues comme ça! avec des plis, des bourrelets de graisse un peu partout. Il avait dans cette abondance, perdu la notion du temps.   5

Un jour, surpris dans sa retraite, il fut emmené à la Reine de cette cité prodigieuse. Kacou Ananzè se conduisit tellement bien qu'il devint le premier Ministre du royaume.

La Reine cependant lui avait dit: «Tu peux tout faire dans mon royaume, tout faire dans mes palais, mais ce que tu ne 10 dois jamais faire, c'est de te regarder dans le miroir qui est là-bas.»

— Bien, répondit Kacou Ananzè!

De ce jour-là commença son malheur: «Pourquoi ne pas me mirer dans ce miroir, alors qu'on me donne tout?... Ce miroir 15 doit être un miroir magique. Ah! cette Reine veut jouer au plus fin avec moi. Que sont ces façons-là?»

Et le miroir était là, pareil à tous les autres miroirs.

«Eh bien, s'il est aussi simple d'aspect, c'est que son pouvoir est grand.»   20

La brise du soir ne cessait de lui chatouiller la plante des pieds, de lui entrer dans le cou, dans les oreilles. Elle lui caressait les vibrisses, les sourcils. Elle lui chatouilla tellement la plante des pieds, que . . . lui entra tellement dans le cou, les oreilles, que . . . Kacou Ananzè se dit: «Pourquoi ne pas me 25 mirer dans le miroir?».

Et il fit cela. Mais aussitôt il se retrouva au bord du fleuve aux rives brûlantes, la ligne à la main, le flotteur immobile.

Et il avait faim! faim! Il jetait, rejetait la ligne. Le flotteur plonge. Ananzè ramène la ligne. A l'hameçon pendait un petit 30 Silure gros comme le petit doigt d'un nouveau-né. Notre pêcheur, très heureux, délicatement le déferre. Le Silure ne dit rien.

— Tiens! Tiens! Voici mon ami le Silure, comment ça va?

— ...   35

— Tu ne me reconnais pas? Ah! oui, c'est cela... tu aimes faire le bien en cachette... Je vais quand même te prouver ma reconnaissance.

pénible comme montée (idiotisme)   la montée fut difficile
chevaux de frise *m. pl.*   barrière de fer barbelé
saigner   perdre du sang

— ...

— Mais c'est moi Araignée, Kacou Ananzè... Araignée de l'autre jour! Tu ne te souviens plus de notre dernière rencontre? C'était un matin pareil... Je t'avais sorti du fleuve et tu me disais... Comment disais-tu encore? Ah!... oui... «Epargne- 5 moi... Crois-moi... Tu seras heureux... Ecoute, tu auras le bon- heur...»

— ...

— Faut-il que je te grille?

— Si tu veux. 10

— Allons, pour qui me prends-tu? Griller mon ami. Cela ne se fait jamais! Veux-tu que je te remette dans l'eau?

— Si tu veux!

— Me recommandes-tu de remonter sur la douzième branche du fromager? La dernière fois, sur tes conseils, j'avais grimpé 15 sur la douzième branche et de là, «floup!» je sautai... oh! comme j'avais eu peur au début... mais toi, sur la rive, tu me faisais signe, tu m'encourageais dans cet exploit... Veux-tu que nous recommencions?

— Si tu veux! 20

— Si je veux! Mais c'est cela que je veux. Tiens! regarde, je vais monter. Je monte.

Ce fut vraiment pénible comme montée. Les grosses épines tels des chevaux de frise s'opposaient à toute avance. Kacou Ananzè saignait. Il atteignit quand même la douzième branche, 25 jouant à la nacelle balancée par la houle. Pris de vertige, Ananzè vint s'écraser sur le sol.

Heureusement, il n'en mourut pas; ses exploits se seraient arrêtés et nous, hommes, aurions peu de choses à nous raconter les soirs... 30

Et comme tous les mensonges, c'est par vous que le mien passe pour aller se jeter à la mer... pour aller courir le monde...

Exercices

A. Qu'est-ce qui se passe? L'ordre chronologique est à refaire. Mettez les phrases dans un ordre qui vous donne un résumé logique du récit.

. . . Heureusement, il ne meurt pas.

. . . Veux-tu que nous recommencions? Si tu veux.

. . . Il devient le premier ministre.

. . . Le flotteur bouge.

. . . Kacou Ananzè s'obstine à pêcher.

. . . Il ramène un petit Silure.

. . . Ayant grand faim, il entend des voix.

. . . Le flotteur ne bouge toujours pas.

. . . «Laisse-moi dans l'eau et tu seras heureux.»

. . . Araignée se trouve dans une cité magique.

. . . Pourquoi ne pas me mirer dans ce miroir?

. . . «Laisse-toi tomber de la douzième branche du fromager.»

. . . Kacou Ananzè pris de vertige, tombe par terre.

. . . Araignée se trouve au bord du fleuve, le flotteur immobile.

. . . Et comme tous les mensonges, c'est par vous que le mien passe pour aller se jeter à la mer... pour aller courir le monde.

. . . Le Silure ne dit rien.

B. En utilisant les mots suivants composez au moins cinq phrases:

le Silure	griller
le fleuve	le miroir
la curiosité	s'écraser
le fromager	les palais
la brise	le flotteur
la cité magique	les lumières

C. En classe: Jouez les dialogues entre l'Araignée et les deux Silures.

aux crochets de quelqu'un à ses dépens, à ses frais
jumeaux *m. pl.* enfants nés d'un même accouchement
s'écouler passer
ergoter contester

44

5

La Lueur
du soleil couchant

Qui aurait cru qu'un ami fidèle deviendrait l'assassin de son meilleur ami? Un crime si épouvantable ne restera pas caché du village.

«La lueur du soleil couchant seule sera notre témoin.»

Il y a longtemps de cela. Dans un village étaient deux amis, deux amis inséparables. On ne voyait jamais l'un sans l'autre et l'on disait d'eux qu'ils étaient l'ombre l'un de l'autre. 5

Tout chez eux se faisait en commun. Aussi les citait-on en exemple dans le village. Riches tous les deux, aucun d'eux ne vivait aux crochets de l'autre. Ils portaient des pagnes de même nuance, des sandales de même teint. On les aurait pris pour des jumeaux. Tous deux étaient mariés. Et ils s'appelaient Amant- 10 chi et Kouame.

L'existence pour eux s'écoulait paisible. Ils partaient ensemble pour les voyages d'affaires et ensemble encore, revenaient. Jamais on ne voyait l'un sans l'autre. Pour une amitié c'en était véritablement une. 15

Chaque soir, ils partaient se promener dans la plantation de l'un ou de l'autre, et jamais n'ergotaient sur le sens de tel ou tel mot prononcé par l'un d'eux... Ils étaient, pour tout dire, heureux. Mais qui aurait jamais cru que sous les dehors d'une amitié aussi tendre et chaude, aussi sûre et constante, il y avait 20 une ombre? Qui aurait cru qu'Amantchi avait un faible pour la

45

dessous *m.*   secret, caché

jaser   parler

las   fatigué

tu (part. passé de **taire**)   rester sans parler

brouiller   désunir, cesser d'être amis

cadran *m.*   horloge

se comporter   agir d'une certaine manière

voire (adv.)   et même

sans encombre   sans difficulté, sans rencontrer d'obstacle

franchi   dépassé

revenant *m.*   fantôme

racheter   sauver par la rédemption

en dépit de   malgré, sans tenir compte de

femme de Kouame? Qui aurait cherché un dessous aux nombreux cadeaux qu'il venait tout le temps faire à cette femme?

Au début, le village avait jasé. Puis las de jaser, il s'était tu
puisqu'il n'était pas arrivé à jeter le trouble dans l'esprit de
Kouame, puisqu'il n'était point parvenu à brouiller les deux amis. 5
Et il s'était tu, le village. Et les choses avaient continué à aller
du même train qu'avant.

La vie était belle. L'on vieillissait avec le temps et jamais
avant le temps. On dormait bien et s'amusait bien. On n'avait
pas à courir après les aiguilles d'un cadran quelconque, encore 10
moins à tout le temps sursauter à un coup de sirène. On prenait
son temps pour jouir de tout: on ne se pressait point. La vie
était là, devant soi, riche, généreuse. On avait une philosophie
qui permettait de se comporter de la sorte. On se savait membre d'une communauté qui jamais ne devait s'éteindre... Pour 15
voyager, on pouvait bien mettre des jours et des jours, voire des
mois. On était sûr d'arriver sans encombre, sans accident
aucun... On partait au chant du coq, on se reposait lorsque le
soleil se faisait trop chaud, on repartait dès qu'il avait franchi
la cime des arbres et on s'arrêtait le soir dans le premier village 20
venu pour se coucher. Connu ou non, on était reçu avec plaisir.
L'étiquette commande. On parlait des diables, des génies et des
revenants comme on aurait parlé d'un voisin de case avec la
conviction qu'ils existaient. Et un homme qui mourait, mourait
soit de maladie naturelle sans complication aucune due à une 25
transgression d'interdit, soit parce que les diables et les sorciers
s'en étaient mêlés, s'étaient saisis de son «ombre», son âme. On
se livrait alors à toute une série de cérémonies compliquées et on
arrivait à sauver l'homme, à le racheter comme on disait. Et
alors chacun essayait de se protéger contre ces actions occultes. 30
Et comme tout le monde, Amantchi et Kouame ne manquaient
pas à cette règle. Et chacun savait ce qu'avait son ami pour se
protéger.

Et le village après avoir vainement jasé, s'était tu.

Les deux amis en dépit des rumeurs du village restaient amis. 35

Un soir, comme d'habitude, ils partirent en promenade. Mais
ce soir-là, seul Amantchi en revint, au grand étonnement de tout
le village.

trotter par la tête préoccuper

hantise *f.* obsession

dompté dominé, surmonté

grisant excitant, enivrant

manguier *m.* arbre tropical dont le fruit jaune, très parfumé, est de la taille d'une grosse pêche

libellule *f.* insecte à quatre ailes transparentes

toucan *m.* grand oiseau tropical au plumage vif, à bec énorme

colibri *m.* très petit oiseau tropical à plumage éclatant, à long bec

tisserin *m.* oiseau africain qui construit de remarquables nids tissés en feuilles de palmier

s'éventer se rafraîchir

rivé fixé

ensevelir ici, faire disparaître sous l'eau

dalle *f.* pierre qui recouvre la tombe

Ils rentraient de promenade, Kouame marchait en tête. Amantchi suivait avec d'étranges idées qui lui trottaient par la tête, poursuivi par l'image de cette femme que depuis fort longtemps il cherchait. Il avait toujours réussi à dominer cette hantise, mais aujourd'hui, c'était plus fort que lui. Il était 5 dompté. Son ami allait de son pas le plus tranquille, bavardant, et lui suivait, répondant machinalement à toutes les questions de l'autre. Il voyait la femme, elle lui parlait. Il sentait son parfum, quelque chose de très grisant. Ils s'en allaient tous deux, l'un précédant l'autre. 10

Les oiseaux en groupes rejoignaient leur nid. La brise chargée de tous les parfums cueillis en route passait, odoriférante, légère, douce, caressante. Les palmiers agitaient paisiblement leurs branches. Les manguiers et deux orangers en fleurs étaient pleins d'abeilles en quête de nectar. Des libellules allaient çà et 15 là... montant, descendant. Des papillons prenaient le frais, posés sur des feuilles. Partout, dans les feuillages comme dans les herbes, il y avait concert. Des toucans passaient, bruyants, tandis que des colibris et des tisserins bavardaient dans les orangers. Les bananiers, de leurs feuilles s'éventaient les uns 20 les autres. Partout régnait le calme, la paix... Tout concourait à l'amour: les pigeons sur les branches se chatouillaient du bec... Kouame allait toujours. Amantchi suivait... Il suivait fiévreux, toujours prêt à frapper, les yeux rivés sur la nuque de son ami... Il se rapprochait de lui. Deux fois il s'était rapproché de lui. 25 Trois fois...

Que vient-il de faire? Est-ce possible? Son ami, son seul ami?

Le soleil se couchait. Il projetait des lueurs rouges, des lueurs de flammes, des lueurs de sang par le ciel.

Kouame ouvrant une dernière fois les yeux, fixa terriblement 30 son assassin d'ami et lui dit:

«Tu m'as tué? Il n'y a pas eu de témoins? Eh bien! la lueur du soleil couchant seule sera notre témoin.»

Amantchi traîna le mort jusqu'au fleuve qui coulait près de là et l'y jeta. D'abord il lui avait paru que l'eau lui opposait de la 35 résistance, que l'eau refusait d'accepter ce corps de mort, qu'elle ne voulait pas de cette horrible et criminelle paternité. Elle finit cependant par céder. Elle s'ouvrit, puis ses lèvres se rapprochè-rent, se soulevèrent et ensevelirent Kouame sous leur dalle d'eau.

49

caillou *m.*   fragment de pierre
baie *f.*   petit fruit
ambulant   qui se déplace
pêcherie *f.*   endroit où l'on peut pêcher des poissons
mouette *f.*   oiseau de mer
martin-pêcheur *m.*   petit oiseau qui se nourrit de poissons
pitance *f.*   nourriture
prendre le large   s'enfuir, s'en aller
s'ébrouer   souffler en s'agitant
margouillat *m.*   lézard gris
taché   sali

A un moment, il parut à Amantchi que Kouame essayait de s'accrocher à un des nombreux cailloux qui peuplaient le fond du fleuve. Mais le courant le poussait, le talonnait, et ce corps s'en allait en compagnie des brindilles, des feuilles, des baies et des touffes d'herbes ambulantes charriées par le fleuve...   5

Sur les pêcheries, des mouettes qui somnolaient se levèrent avec un ensemble parfait et sur un seul cri, s'en allèrent. Un martin-pêcheur qui cherchait sa pitance, lui aussi prit le large. Le crime leur paraissait monstrueux et c'était leur façon à eux de protester. Le soleil, lui, jetait toujours des lueurs de sang, 10 et le ciel était rouge, rouge, dirait-on du sang de Kouame. Les oiseaux plongeaient leur tête dans l'eau, en révérence au corps que le courant emportait. Les arbres s'ébrouèrent sous le vent brusque qui passa. Les margouillats appuyés sur leur train avant tournèrent la tête à droite, à gauche, comme pour dire: 15

«Quoi, c'est çà l'amitié des hommes?»

Le soleil qui jetait des lueurs de sang, lorsque disparut le corps de Kouame se voila la face derrière un rideau de nuages noirs. Le ciel prenait le deuil.

Au village des vieillards eurent des pressentiments et se dirent 20 que des faits anormaux se passaient.

Amantchi rentra chez lui, se déshabilla, cacha ses habits tachés de sang sous son lit, en prit d'autres et courut chez la femme de son ami.

— Où est ton mari?   25

— Mon mari? Mais c'est à moi de te poser cette question!

— Comment, il n'est pas encore rentré?

— Où l'as-tu laissé?

— En route.

— En route?   30

— Oui.

— C'est étrange...

La nouvelle vola de case en case et en quelques minutes eut fini de courir le village qui sortit tous ses tam-tams et les battit longtemps pour appeler Kouame que l'on croyait égaré. Pen- 35 dant des jours et pendant des nuits, les tam-tams battirent. Pendant des jours et pendant des nuits les hommes parcoururent la brousse à la recherche de Kouame, de Kouame dont le corps

crue *f.*   montée

subit (adj.)   soudain, brusque

insolite (adj.)   contraire à l'habitude

entorse *f.*   ici, manque de respect; **faire une entorse**   ne pas respecter

s'en était allé au fil de l'eau maintenant rendue boueuse par une crue subite, étrange, insolite. Au bout de trente jours de cette vaine recherche, la conviction se fit totale, de la mort de Kouame. Ses funérailles furent grandioses.

Avec le temps, et quelque entorse à la coutume, Amantchi 5 épousa la veuve. Ils vécurent heureux.

Seulement voilà. Ce qui devait arriver arriva. Kouame avant de mourir le lui avait dit, à son ami.

Un jour, debout devant sa glace, Amantchi s'apprêtait à sortir, lorsque d'une fenêtre brusquement ouverte par sa femme, un 10 rayon de flamme, une lueur de sang traversa la chambre. Le soleil encore se couchait, il se couchait comme l'autre jour. Et tout le ciel était rouge, aussi rouge que l'autre jour, le jour où se commit le crime. Ce rayon passant devant la glace effraya Amantchi. Il était là, hagard devant la glace. Et il tremblait, 15 tremblait, tremblait, plus qu'il n'avait tremblé le jour du crime...

ameuté assemblé
divaguer perdre la raison
s'entêter s'obstiner, persister dans sa volonté

La lueur de sang était toujours là, persistante, plus rouge de seconde en seconde. Et Amantchi tremblait... Il revivait toute la scène. Il monologuait, oubliant que sa femme était près de lui...

— C'est la même lueur, exactement qui passa au moment où il fermait les yeux, la même lueur du même soleil couchant. Et il me l'avait dit: «Tu m'as tué? Il n'y a pas eu de témoins? Eh bien! la lueur du soleil couchant seule sera notre témoin».

Et la lueur était là... Et le soleil cette fois refusait de se coucher, envoyant partout des rayons couleur de sang...

Et le village, ameuté par la femme, accourut. Amantchi était toujours devant la glace et toujours divaguait.

Et le soleil s'entêtait à ne pas se coucher, inondant le monde de rayons couleur de sang.

Ce fut ainsi que l'on sut le crime que commit Amantchi un soir, le crime dont le seul témoin fut la lueur du soleil couchant.

Exercices

A. Répondez aux questions suivantes:

1. Quelle ombre pèse sur la vie d'Amantchi?
2. Comment le village réagit-il?
3. Quelle image poursuit le malheureux?
4. Comment se débarasse-t-on d'un ami fidèle?
5. Pourquoi l'assassin avoue-t-il son crime?

B. Choisissez le mot qui convient:

1. Dans un village étaient deux (frères ennemis — chasseurs courageux — amis inséparables).
2. Ils portaient des vêtements (déchirés — différents — identiques).
3. L'amour d'Amantchi (passe inaperçu — est vite découvert — est mal compris).
4. On se livre aux cérémonies des sorciers (pour vaincre ses ennemis — pour guérir des malades — pour lutter contre la famine).
5. Les rumeurs (se sont répandues — ont cessé — ont provoqué le meurtre).
6. L'un veut prendre (la ferme — la femme — l'argent) de l'autre.
7. Le soleil jetait des lueurs (rouges — splendides — faibles).
8. Le village croyait que Kouame (s'était égaré — avait été attaqué — était mort) sur le chemin de retour.

9. Le temps passe et Amantchi (oublie tout — épouse la veuve — ramène son ami) au village.
10. La lueur du soleil couchant provoque (la tempête — la confession — la guerre sanglante).

C. Exercice de vocabulaire

1. la hantise
2. les jumeaux
3. dompter
4. ensevelir
5. la lueur
6. talonner
7. le témoin
8. jaser
9. la libellule
10. s'écouler

a. les frères
b. l'obsession
c. les papillons
d. brouiller
e. bavarder
f. le rayon
g. enterrer
h. poursuivre
i. la cime
j. l'insecte
k. le spectateur
l. le juge
m. passer
n. vaincre

D. Composition:

1. Décrivez le village paisible où habitent Amantchi et Kouame.
2. Décrivez la scène de violence.
3. Discutez la phrase, «Quoi, c'est ça l'amitié des hommes?»

Chi wara headdress, Bambara culture (Sudan)

Birago Diop
Sénégal

potin *m.*   genre de bavardage
cancan *m.*   bavardage médisant
désagrément *m.*   ennui
frayé   tracé un chemin par le passage
mal embouché (adj.)   grossier, mal élevé
fesses *f. pl.*   derrière
pelé   qui a perdu ses poils, ses cheveux

6

Les Mauvaises Compagnies

Si Kakatar-le-Caméléon avait su ce que tout le monde pensait de Golo-le-Singe, il aurait choisi un autre compagnon. Une fois trompé, il comprend mieux le caractère du singe et se venge de lui.

Vivre seul et se moquer d'autrui, se moquer d'autrui, de ses soucis comme de ses succès, c'est là, sans conteste, un sage et raisonnable parti. Mais ignorer absolument les rumeurs, les potins, et les cancans, cela peut amener parfois des désagréments au solitaire. 5

Si Kakatar-le-Caméléon, le Caméléon sage et circonspect jusque dans sa démarche, avait frayé plus souvent avec les habitants de la brousse ou même avec ceux des villages, il aurait su ce que tout un chacun pensait de Golo-le-Singe. Il aurait connu l'opinion des hommes et le sentiment des bêtes à l'endroit de cet 10 être malfaisant, mal élevé, mal embouché, querelleur et malicieux, menteur et débauché, dont la tête n'était pleine que de vilains tours à jouer au prochain. Il aurait su pourquoi Golo avait les paumes des mains noires à force de toucher à tout, et les fesses pelées et rouges d'avoir reçu tant de coups. Leuk-le-Lièvre 15 lui aurait sans doute dit pourquoi Golo n'était pas un compagnon souhaitable; Thile-le-Chacal, Bouki-l'Hyène et même Bakhogne-le-Corbeau lui auraient appris pourquoi Golo n'était pas à fréquenter assidûment. M'Botte-le-Crapaud lui aurait avoué que, pour sa part, jamais dans sa famille personne n'avait fait de 20

parages *m. pl.* endroit, région

advenir arriver

d'aventure par hasard

aviser remarquer

titubant (adj.) qui va de droite et de gauche en marchant

écorce *f.* enveloppe d'un tronc d'arbre et de ses branches. On peut la détacher du bois.

baobab *m.* grand arbre africain

adosser être appuyé contre

gambader sauter en marquant de la gaité

termitière *f.* construction en terre que les termites fabriquent dans les pays tropicaux

assalamou aleykoum salutation musulmane de langue arabe. «Que la paix soit avec vous.»

écorché brûlé

s'enquérir demander

N'Djoum-Sakhe pas bien loin

pelage *m.* fourrure

tâter faire l'épreuve, sonder

Bagge-le-Lézard son compagnon de route, car il y a compagnon et compagnon; et que sans nul doute, la société de Golo-le-Singe n'était pas faite pour lui, Caméléon.

Mais Kakatar ne hantait pas les mêmes parages que tous ceux-là; et, s'il lui advenait d'aventure d'en aviser un sur son 5 hésitante et titubante route, il savait prendre la teinte des objets qui l'entouraient jusqu'à ressembler à l'écorce d'un vieux baobab, aux feuilles mortes qui lui servaient alors de lit, ou aux herbes vertes contre lesquelles il s'adossait.

Un jour, cependant, au bord d'un sentier, Golo-le-Singe, qui 10 passait en gambadant, put distinguer Kakatar collé contre le flanc d'une termitière.

— Oncle Kakatar, as-tu la paix? salua Golo d'une voix douce-reuse.

Force fut au taciturne solitaire, dont l'humeur était moins 15 changeante que la couleur de la peau, de répondre à la politesse. Car «Assalamou aleykoum» n'est pas plus beau que «Aley-koum salam», et l'on doit payer, l'on peut payer cette dette sans s'appauvrir. Et puis, rendre un salut n'a jamais écorché la bouche. 20

— La paix seulement! répondit donc Kakatar, de mauvaise grâce, il est vrai. Mais il ne connaissait pas assez Golo, s'il pensait être débarrassé de lui à si peu de frais.

— Où donc se dirigeaient vos jambes si sages, mon oncle? s'enquit le curieux. 25

— Je m'en allais vers N'Djoum-Sakhe, expliqua Kakatar, que le Singe approchait de si près qu'il commençait à prendre la teinte du pelage de son interlocuteur. Ce que voyant, et sans doute aussi la ressemblance aidant de leurs queues qui leur ser-vaient à tous deux parfois de cinquième main, Golo se crut 30 autorisé à plus de familiarité:

— Eh bien! oncle, je t'accompagne et je me ferai facilement à ton allure.

Ils s'en allèrent donc tous deux vers N'Djoum-Sakhe, Golo essayant en vain, dès les premiers pas de se régler à l'allure 35 balancée et hésitante de son compagnon qui tâtait d'abord l'air et semblait à chaque instant chercher s'il n'y avait pas une épine sur son chemin. N'y tenant plus, Golo se mit à trotter à droite

hérisson *m.*   porc-épic, petit animal au corps recouvert de longs
   piquants

ardre   brûler, provoquer une sensation de chaleur

dru (adj.)   épais

déchiqueté   découpé irrégulièrement

gambe *f.*   gourde, récipient qui contient un liquide

calebasse *f.*   gourde vidée et séchée qui sert de récipient

s'ahurir   se troubler

mousseux (adj.)   qui produit des bulles de gaz à la surface des
   liquides agités, sous pression, ou en fermentation

pétillant (adj.)   qui produit de nombreuses bulles

choir   tomber

miette *f.*   petit morceau

saigneur de palmier *m.*   personne qui tire la sève de l'arbre

et à gauche, devant et derrière, pour revenir de temps à autre
tenir un petit propos à son compagnon.

Le sentier n'était pas long qui menait à N'Djoum-Sakhe, mais
l'allure de ces voyageurs, dont l'un avait toujours l'air de marcher
sur des braises ardentes et sautillait tout le temps et dont l'autre 5
semblait avancer sur un troupeau de hérissons, l'allure de ces
deux voyageurs n'était pas des plus rapides. Le soleil ardait
dur et dru au-dessus de leur tête qu'ils n'avaient pas encore parcouru la moitié de la moitié du sentier de N'Djoum-Sakhe. Golo
et Kakatar s'arrêtèrent à l'ombre déchiquetée d'un palmier, en 10
haut duquel pendait une gambe, une calebasse-gourde.

— Tiens, fit Golo, qui était au courant de tout, tiens, N'Gor
espère ce soir une bonne récolte de vin de palme; mais nous
mouillerons bien nos gorges avant lui, car il fait vraiment trop
chaud. 15

— Mais ce vin de palme n'est pas à nous! s'ahurit Caméléon.

— Et puis après? interrogea le Singe.

— Mais le bien d'autrui s'est toujours appelé: «laisse».

Golo ne releva même pas la remarque; il était déjà en haut
du palmier, il avait décroché la gourde et buvait à grands traits. 20
Quand il eut tout vidé du liquide frais, mousseux et pétillant, il
laissa choir la gourde, qui faillit écraser son compagnon. Il re-
descendit et déclara:

— Le vin de palme de N'Gor était vraiment délicieux. Nous
pouvons continuer notre chemin, mon oncle. 25

Et ils repartirent. Ils n'étaient pas encore bien loin du palmier
lorsqu'ils entendirent derrière eux des pas plus assurés et plus
pesants que les leurs. C'était N'Gor qui avait retrouvé sa gourde
en miettes au pied de l'arbre, et non, comme il s'y attendait avec
juste raison, là-haut, au flanc du palmier et remplie de vin de 30
palme. Quand Golo, qui s'était retourné, l'aperçut, il pensa tout
d'abord à se sauver et laisser son compagnon s'expliquer avec
l'homme; mais il n'eût pas été digne de sa race s'il avait agi aussi
simplement. Pensez donc! et si Kakatar s'expliquait avec N'Gor
et l'accusait, lui, Golo, qui prenait la fuite, pas assez loin cer- 35
tainement ni assez longtemps sans doute pour ne point tomber
un jour ou l'autre entre les mains du saigneur de palmiers. Il
s'arrêta donc et dit à son compagnon d'en faire autant, ce qui

ne demandait pas beaucoup d'efforts à celui-ci. N'Gor vint à eux avec la colère que l'on devine:

— On a volé mon vin de palme et cassé ma gourde. Connaissez-vous le coupable, si ce n'est l'un de vous deux?

Caméléon se tut, se gardant bien d'accuser son compagnon 5 de route.

— Moi, je le connais, fit le Singe.

Kakatar tourna un œil et regarda Golo.

—C'est celui-là, fit ce dernier en désignant d'un index le Caméléon.   10

— Comment, c'est moi? suffoqua Kakatar, c'est toi qui l'as bu!

— N'Gor, dit le Singe, nous allons marcher tous les deux, ce menteur et moi, et tu verras que c'est celui qui titube qui a bu ton vin de palme.

Ayant dit, il marcha, s'arrêta bien droit: 15

— Suis-je ivre, moi? demanda-t-il, puis il commanda: Marche maintenant, toi, Caméléon, toi qui dis ne pas être ivre.

tison *m.*   morceau de bois brûlé en partie et encore en ignition

Kakatar avança, puis s'arrêta en titubant, comme le font tous les Caméléons de la terre.

— Regarde, N'Gor, dit Golo, un buveur ne peut se cacher.

N'Gor prit Kakatar-le-Caméléon, le battit vigoureusement et lui dit en l'abandonnant: 5

— Si je ne t'ai pas tué cette fois-ci, remercie le bon Dieu et ton camarade.

N'Gor s'en retourna vers son palmier, et les deux voyageurs reprirent leur chemin. Vers le soir, ils atteignirent les champs de N'Djoum-Sakhe. 10

— J'ai froid, dit Kakatar, nous allons, pour me réchauffer, mettre le feu à ce champ.

— Non pas, certes, dit le Singe.

— Je te dis que nous allons incendier ce champ, affirma Caméléon, qui alla chercher un tison et mit le feu au champ. 15

Mais il n'en brûla qu'une partie et le feu s'éteignit vite. Les gens de N'Djoum-Sakhe avaient cependant aperçu la flambée. Ils étaient accourus et s'informaient:

— Qui a mis le feu à ce champ?

— Je ne sais pas, j'ai vu la flamme et je me suis approché, 20 déclara Kakatar.

— Comment? s'étonna le Singe, tu ne veux pas insinuer que c'est moi qui ai incendié ce champ?

— Puisqu'il ne veut pas avouer que c'est lui le coupable, re- gardez donc nos mains. 25

Ayant dit, le Caméléon tendit ses mains, la paume en était blanche et nette.

— Fais voir les tiennes maintenant, toi qui dis ne pas être l'incendiaire, commanda Kakatar.

Golo tendit ses mains, la paume en était noire comme celle de 30 toutes les mains de tous les Singes de la terre.

— Regardez, triompha le Caméléon, l'incendiaire ne peut se cacher.

On attrapa Golo, qui se souvient encore certainement de la correction qu'il reçut et qui, depuis ce temps-là, ne fréquenta 35 plus jamais Kakatar-le-Caméléon.

Exercices

A. Répondez aux questions suivantes:

1. Qui sont les deux animaux de ce conte?
2. Quelle description donne-t-on de chacun?
3. Pourquoi Kakatar ne connaissait-il pas Golo?
4. Où vont-ils ensemble?
5. Comment Golo arrive-t-il à se promener avec Kakatar?
6. Quelle idée vient à l'esprit du singe?
7. Quelle morale prêche Kakatar?
8. Comment Golo explique-t-il le vol du vin de palme?
9. Pourquoi N'Gor accepte-t-il cette explication?
10. Quelle idée vient à l'esprit de Kakatar?
11. Qui a incendié le champ?
12. Pourquoi croit-on que Golo est le coupable?

B. Choisissez la réponse qui convient:

1. Ignorer les rumeurs, cela peut amener parfois (de la fortune — du succès — des désagréments) au solitaire.
2. Golo-le-Singe est (gentil et généreux — querelleur et malicieux — sage et bien élevé — timide et fort intelligent).
3. Kakatar (s'amusait avec — ne visitait pas les mêmes

endroits que — profitait de l'amitié de) tous ces animaux-là.

4. Kakatar savait (marcher tout droit — prendre la teinte des objets qui l'entouraient — voler du vin de palme).

5. «Assalamou aleykoum» veut dire (bonjour! — au revoir — n'est-ce pas? — je suis ton ami).

6. Le sentier n'était pas long mais l'allure des voyageurs était (rapide — joyeuse — lente).

7. Ils s'arrêtent à l'ombre (d'une maison — d'un palmier — d'un bananier — d'un cocotier).

8. Mais ce vin de palme (est à toi! — est très amer! — n'est pas à nous! — est trop sucré!).

9. (Golo — Kakatar — N'Gor) buvait à grands traits.

10. (N'Gor — Kakatar — Golo) a retrouvé sa gourde en miettes au pied de l'arbre.

11. Golo pensa d'abord à (se sauver — s'expliquer avec l'homme — cacher le vin de palme — s'asseoir au pied de l'arbre).

12. N'Gor vint à eux (souriant — malheureux — en colère — sans argent).

13. Tu verras que c'est (Golo — N'Gor — Kakatar) qui titube.

14. Celui qui titube a (mangé le bœuf — bu ton vin de palme — marché pendant toute la journée — volé vos bananes).

15. (N'Gor — Kakatar — Golo) battit le pauvre animal qui marche en titubant.

16. J'ai froid, dit-il, nous allons (courir à travers le champ — boire encore du vin de palme — mettre le feu à ce champ — dormir sous le palmier).

17. Le Caméléon tendit ses mains, la paume en était (noire — blanche — ridée — écorchée).

18. Le Singe tendit ses mains, la paume en était (noire — blanche — ridée — écorchée).

19. Golo se souvient encore (de la correction — du cadeau — du baiser) qu'il reçut.

20. Kakatar n'était plus (un ami intime — un caméléon insouciant — un compagnon souhaitable).

caïman *m.*   alligator
griot *m.*   poète, historien et musicien de l'Afrique, celui qui flatte
  par ses chansons
louange *f.*   compliment, flatterie

7

Maman Caïman

*Il est souvent difficile pour les jeunes de respecter
la sagesse des vieux. Dans ce conte les petits caïmans irrévérencieux apprennent trop tard à apprécier leur mère.*

Les bêtes les plus bêtes des bêtes qui volent,
marchent et nagent, vivent sous la terre, dans l'eau et dans l'air,
ce sont assurément les caïmans qui rampent sur terre et marchent
au fond de l'eau.

— Cette opinion n'est pas mienne, dit Amadou Koumba, elle 5
appartient à Golo, le singe. Bien que tout le monde soit
d'accord sur ce point que Golo est le plus mal embouché de tous
les êtres, étant le griot de tous, il finit par dire les choses les
plus sensées, selon certains, ou du moins par faire croire qu'il
les dit, affirment d'autres. 10

Golo disait donc, à qui voulait l'entendre, que les Caïmans
étaient les plus bêtes de toutes les bêtes, et cela, parce qu'ils
avaient la meilleure mémoire du monde.

L'on ne sait si c'était, de la part de Golo, louange ou blâme,
un jugement émis par envie ou par dédain. En matière de mé- 15
moire, en effet, le jour où le Bon Dieu en faisait la distribution,
Golo avait dû arriver certainement en retard. Sa tête légère,
malgré sa grande malice, oublie bien vite, aux dépens de ses
côtes et de son derrière pelé, les mauvais tours qu'il joue à

avoir maille à partir   disputer

taquinerie *f*.   action de s'amuser à contrarier dans de petites choses, sans y mettre de méchanceté.

repaire *m*.   refuge d'une bête sauvage

vase *f*.   boue

pagaie *f*.   ce qu'on utilise dans une pirogue pour ramer, pour faire marcher le bateau

Fouta-Djallon   les hauts plateaux de la Guinée

papotage *m*.   bavardage

récurer   nettoyer en frottant

fardeau *m*.   chose lourde qu'il faut transporter

mil *m*.   blé

désaltérer   apaiser la soif

bouffon *m*.   personnage comique

savate *f*.   vieille chaussure ou pantoufle

poltron (adj.)   qui manque de courage

gourdin *m*.   gros bâton lourd et solide

racontar *m*.   bavardage

fourberie *f*.   habitude de tromper

badolo *m*.   paysan

rancune *f*.   ressentiment qu'on garde d'une offense

meurtrir   blesser

mufle *m*.   extrémité du museau

chacun et tout le temps. Son opinion sur les caïmans, il avait pu
donc l'émettre un jour que l'un des siens avait eu maille à partir
avec Diassigue, la mère des caïmans, qui, sans aucun doute,
s'était vengée un peu trop rudement d'une toute petite taquinerie.

Diassigue avait bonne mémoire. Elle pouvait même avoir   5
la mémoire la meilleure de la terre, car elle se contentait de
regarder, de son repaire de vase ou des berges ensoleillées du
fleuve, les bêtes, les choses et les hommes, recueillant les bruits
et les nouvelles que les pagaies confient aux poissons bavards,
des montagnes du Fouta-Djallon à la Grande Mer où le soleil se   10
baigne, sa journée terminée. Elle écoutait les papotages des
femmes qui lavaient le linge, récuraient les calebasses ou pui-
saient de l'eau au fleuve. Elle entendait les ânes et les chameaux qui, venus de très loin, du nord au sud, déposaient un instant leurs fardeaux de mil et leurs charges de gomme et se désal-   15
téraient longuement. Les oiseaux venaient lui raconter ce que
sifflaient les canards qui passaient, remontant vers les sables.

Donc Diassigue avait une bonne mémoire; et, tout en le dé-
plorant, au fond de lui-même, Golo le reconnaissait. Quant à
sa bêtise, Golo exagérait en l'affirmant, et même, il mentait   20
comme un bouffon qu'il était. Mais le plus triste dans l'affaire,
c'est que les enfants de Diassigue, les petits caïmans, commençaient à partager l'opinion des singes sur leur mère, imitant en
cela Leuk-le-Lièvre, le malin et malicieux lièvre, dont la conscience est aussi mobile que les deux savates qu'il porte accro-   25
chées à la tête, du jour où il les enleva pour mieux courir, et qui,
depuis, lui servent d'oreille. Thile-le-Chacal, que la peur d'un
coup venu d'on ne sait jamais où, fait toujours courir, même sur
les sables nus, à droite et à gauche, pensait aussi comme Golo,
comme Leuk, comme Bouki-l'Hyène, poltronne et voleuse, dont   30
le derrière semble toujours fléchir sous une volée de gourdins;
comme Thioye-le-Perroquet, dont la langue ronde heurte, sans
arrêt le bec qui est un hameçon accrochant tous les potins et
racontars qui volent aux quatre vents. Sègue-la-Panthère, à
cause de sa fourberie, aurait, peut-être, volontiers partagé   35
l'opinion de tous ces badolos de basse condition, mais elle gar-
dait trop rancune à Golo des coups de bâton qui lui meurtris-
saient encore le mufle et que Golo lui administrait chaque fois

radoter   tenir, par sénilité, des propos peu sensés
s'abreuver   boire abondamment
pirogue *f.*   canoë, bateau léger
bâiller   ouvrir involontairement la bouche à cause de la fatigue ou
      de l'ennui
N'Galam   région du Sénégal
goulu (adj.)   qui mange beaucoup
Toucouleur *m.*   habitant de la région du fleuve Sénégal

qu'elle essayait de l'attraper en bondissant jusqu'aux dernières branches des arbres.

Les enfants de Diassigue commençaient donc, eux aussi, à croire que Golo disait la vérité. Ils trouvaient que leur mère radotait parfois un peu trop peut-être. 5

C'était lorsque, lasse des caresses du soleil, ou fatiguée de regarder la lune s'abreuver sans arrêt plus de la moitié de la nuit, ou dégoûtée de voir passer les stupides pirogues, nageant, le ventre en l'air, sur le fleuve qui marche aussi vite qu'elles, Diassigue réunissait sa progéniture et lui racontait des histoires, 10 des histoires d'Hommes, pas des histoires de Caïmans, car les caïmans n'ont pas d'histoires. Et c'est peut-être bien cela qui vexait, au lieu de les réjouir, les pauvres petits caïmans.

Maman-Caïman rassemblait donc ses enfants et leur disait ce qu'elle avait vu, ce que sa mère avait vu et lui avait raconté et ce 15 que la mère de sa mère avait raconté à sa mère.

Les petits caïmans bâillaient souvent quand elle leur parlait des guerriers et des marchands de Ghâna que leur arrière-grand-mère avait vu passer et repasser les eaux pour capturer des esclaves et chercher l'or de N'Galam. Quand elle leur parlait de 20 Soumangourou, de Soun Diata Kéita et de l'empire de Mali. Quand elle leur parlait des premiers hommes à la peau blanche que sa grand-mère vit se prosternant vers le soleil naissant après s'être lavé les bras, le visage, les pieds et les mains; de la teinte rouge des eaux après le passage des hommes blancs qui avaient 25 appris aux hommes noirs à se prosterner comme eux vers le soleil levant. Cette teinte trop rouge du fleuve avait forcé sa grand-mère à passer par le Bafing et le Tinkisso du fleuve Sénégal dans le roi des fleuves, le Djoliba, le Niger, où elle retrouva encore des hommes aux oreilles blanches qui descendaient aussi des pays 30 des sables. Sa grand-mère y avait encore vu des guerres et des cadavres; des cadavres si nombreux que la plus goulue des familles caïmans en eût attrapé une indigestion pendant sept fois sept lunes. Elle y avait vu des empires naître et mourir des royaumes. 35

Les petits caïmans bâillaient quand Diassigue racontait ce que sa mère avait vu et entendu: Kouloubali défaisant le roi du Manding. N'Golo Diara qui avait vécu trois fois trente ans et

Maure *m.*   Arabe

ébats *m. pl.*   jeux

perche *f.*   longue barre de bois aplatie à une extrémité que l'on utilise pour diriger un bateau

pépite *f.*   masse de métal

vierge *f.*   fille qui n'a jamais eu de relations sexuelles

rameur *m.*   personne qui fait avancer un canoë avec les avirons

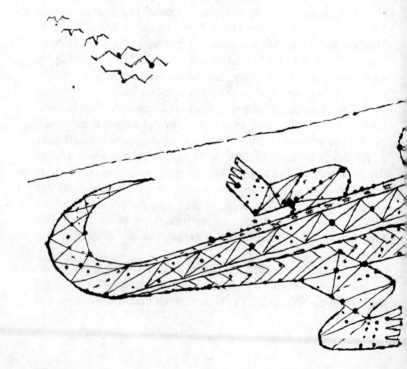

avait battu, la veille de sa mort, le Mossi. Quand elle leur parlait
de Samba Lame, le Toucouleur, qui avait été maître du fleuve,
maître de Brack-Oualo, maître du Damel, roi du Cayor et
maître des Maures, ce qui rend encore si vaniteux les pêcheurs
toucouleurs qui chantent sa gloire au-dessus de la tête des petits 5
caïmans et troublent souvent leurs ébats avec leur longues
perches.

Quand Diassigue parlait, les petits caïmans bâillaient ou rêvaient d'exploits de caïmans, de rives lointaines d'où le fleuve
arrachait des pépites et du sable d'or, où l'on offrait, chaque 10
année, aux caïmans, une vierge nubile à la chair fraîche.

Ils rêvaient à ces pays lointains, là-bas au Pinkou, où naissait
le soleil, à des pays où les caïmans étaient des dieux, à ce que
leur avait raconté, un jour, Ibis-le-Pèlerin, le plus sage des
oiseaux. 15

Ils rêvaient d'aller là-bas dans les lacs immenses du Macina,
entendre les chants des rameurs Bozos et savoir s'il est bien vrai,
à ce que leur avait dit Dougoudougou, le petit canard, que ces

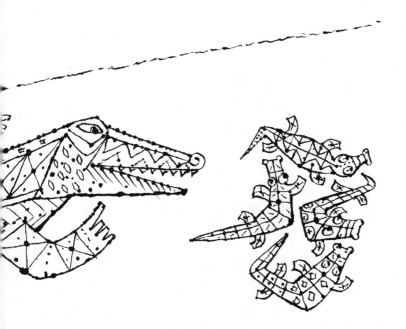

piroguier *m.*   conducteur de pirogue, bateau léger

épousailles *f. pl.*   mariage

arête *f.*   colonne vertébrale

perdreau *m.*   jeune perdrix, oiseau de taille moyenne, au plumage roux ou gris

cancanier (adj.)   celui qui bavarde, qui raconte des propos médisants

croasser   crier, en parlant du corbeau

aube *f.*   matin

chants ressemblaient davantage à ceux des femmes du Oualo, qui venaient laver leur linge tout près de leurs trous, qu'à ceux des piroguiers Somonos, dont les ancêtres étaient venus des montagnes du sud, sur les rives du Niger à . . . à l'époque où la mère de Diassigue remontait le grand fleuve. 5

Ils rêvaient du Bafing et du Bakoy, du fleuve bleu et du fleuve blanc qui se rejoignaient là-bas, à Bafoulabé, et donnaient le fleuve qu'ils habitaient. Ils rêvaient de ces lieux d'épousailles où, à ce que racontaient les Poissons-Chiens, rien ne séparait les eaux des deux fleuves, qui cependant gardaient chacun, long- 10 temps, longtemps, sa couleur. Ils auraient voulu, rêve de petits caïmans, nager à la fois dans l'eau des deux fleuves, un côté du corps dans le fleuve bleu, l'autre côté dans le fleuve blanc et l'arête du dos au soleil brûlant.

Ils rêvaient souvent de faire le même chemin que leur arrière- 15 grand-mère, de passer du Sénégal au Niger par le Bafing et le Tinkisso. Comme les dents de leurs parents, les rêves des petits caïmans poussaient indéfiniment... Ils rêvaient de hauts faits de caïmans et Diassigue, la Maman-Caïman, ne savait leur raconter que des histoires d'hommes; elle ne savait leur parler 20 que de guerres, de massacres d'hommes par d'autres hommes...

Voilà pourquoi les petits caïmans étaient prêts à partager l'opinion de Golo sur leur mère, opinion que leur avait rapportée Thioker-le-Perdreau, le plus cancanier des oiseaux.

Un matin, des corbeaux passèrent très haut au-dessus du 25 fleuve en croassant:

> *Un soleil tout nu — un soleil tout jaune*
> *Un soleil tout nu d'aube hâtive*
> *Verse des flots d'or sur la rive*
> *Du fleuve tout jaune...* 30

Diassigue sortit de son trou, à flanc de rive, et regarda les corbeaux s'éloigner.

Au milieu du jour, d'autres corbeaux suivirent, qui volaient plus bas et croassaient:

crépuscule *m.*   à la nuit tombante
flasque (adj.)   mou, sans fermeté
racler   ici, toucher le sable
défi *m.*   provocation

> *Un soleil tout nu — un soleil tout blanc*
> *Un soleil tout nu et tout blanc*
> *Verse des flots d'argent*
> *Sur le fleuve tout blanc...*

Diassigue leva le nez et regarda les oiseaux s'éloigner... 5
Au crépuscule, d'autres corbeaux vinrent se poser sur la berge
et croassèrent:

> *Un soleil tout nu — un soleil tout rouge*
> *Un soleil tout nu et tout rouge*
> *Verse des flots de sang rouge* 10
> *Sur le fleuve tout rouge...*

Diassigue s'approcha, à pas larges et mesurés, son ventre
flasque raclant le sable et leur demanda ce qui avait motivé leur
déplacement et ce que signifiait leur chant.

— Brahim Saloum a déclaré la guerre à Yéli, lui dirent les 15
corbeaux.

Toute émue, Diassigue rentra précipitamment chez clle.

— Mes enfants, dit-elle, l'émir du Trarza a déclaré la guerre
au Oualo. Il nous faut nous éloigner d'ici.

Alors le plus jeune des fils caïmans interrogea: 20

— Mère, que peut nous faire, à nous, caïmans, que les Ouoloffs du Oualo se battent contre les Maures du Trarza?

— Mon enfant, répondit Maman-Caïman, l'herbe sèche peut
enflammer l'herbe verte. Allons-nous-en!

Mais les petits caïmans ne voulurent pas suivre leur mère. 25

Dès qu'avec son armée il eut traversé le fleuve et mis le pied
sur la rive nord, sur la terre de Ghânar, Yéli devina l'intention
de son ennemi: l'éloigner le plus possible du fleuve. En effet,
les Maures, qui étaient venus jusqu'au fleuve lancer défi à ceux
du Oualo, semblaient maintenant fuir devant les Ouoloffs. Ils ne 30
voulaient livrer bataille que loin, bien loin au nord, dans les
sables, quand les noirs ne verraient plus le fleuve qui les rendait
invincibles chaque fois qu'ils s'y trempaient et y buvaient avant
les combats. Yéli, avant de poursuivre ceux du Trarza, ordonna

faire défense à quelqu'un de faire quelque chose interdire, prohiber

marabout *m.* chef religieux de l'Islam

prodigué accordé, distribué généreusement

cervelle *f.* partie de la tête qui comprend les facultés mentales

à ses hommes de remplir les outres que portaient les chameaux et les ânes et défense leur fut faite d'y toucher avant que l'ordre n'en fût donné.

Pendant sept jours, l'armée du Oualo poursuivit les Maures; enfin Brahim Saloum fit arrêter ses guerriers, jugeant les Ouoloffs 5 assez éloignés du fleuve pour souffrir de la soif dès les premiers engagements et la bataille s'engagea.

Les terribles combats durèrent sept jours pendant lesquels chaque Ouoloff eut à choisir son Maure et chaque Maure eut à combattre son noir. Yéli dut se battre seul contre Brahim 10 Saloum et ses cinq frères. Il tua l'émir le premier jour. Pendant cinq jours, il tua, chaque jour un frère. Le septième jour, il ramassa sur le champ de bataille, abandonné par l'armée du Trarza, le fils de Brahim Saloum. L'héritier du royaume maure portait une blessure au flanc droit. Yéli le ramena avec lui, dans 15 sa capitale.

Tous les marabouts et tous les guérisseurs furent appelés pour soigner le jeune prince captif. Mais tous les soins qui lui étaient prodigués paraissaient aggraver la blessure.

Un jour, vint enfin à la cour de Brack-Oualo, une vieille, très 20 vieille femme, qui ordonna le remède efficace.

Ce remède c'était: en application, trois fois par jour, sur la plaie, de la cervelle fraîche de jeune caïman.

Exercices

A. Répondez aux questions suivantes:

1. Qui a une très bonne mémoire? Pourquoi?
2. Que dit Golo-le-Singe au sujet des caïmans?
3. Pourquoi les petits caïmans ne croient-ils plus en leur mère?
4. Qu'est-ce que Maman-Caïman raconte à ses petits?
5. Qui étaient les premiers hommes que l'arrière-grand-mère a vu passer?
6. Pourquoi la grand-mère a-t-elle quitté un fleuve pour un autre?
7. De quoi rêvent les petits caïmans?
8. Au moment de la guerre, qu'est-ce que Maman-Caïman décide de faire?
9. Les enfants suivent-ils les conseils de leur mère?
10. Quelle est la morale, s'il y en a une, de ce conte?

B. Complétez les phrases suivantes en choisissant le verbe qui convient:

enflammer	marcher	naître	raconter
remplir	bâiller	habiter	appliquer
regarder	racler	réunir	soigner

86

rassembler	rêver	aggraver	partager
verser	pousser	disparaître	souffrir
déclarer	annoncer	radoter	venir

1. Les caïmans . . . sur terre et au fond de l'eau.
2. De son repaire, Maman-Caïman . . . les bêtes, les choses, et les hommes.
3. Le plus triste, c'est que les enfants de Diassigue . . . l'opinion des singes.
4. Les petits croient que leur mère . . .
5. Diassigue . . . ses enfants pour . . . des histoires.
6. Fatigués et ennuyés, les enfants . . .
7. Maman-Caïman a vu des empires . . . et . . .
8. Les rêves des petits . . . comme les dents de leurs parents.
9. Le soleil tout nu . . . des flots de sang rouge.
10. Diassigue s'approche et son ventre . . . le sable.
11. Les enfants . . . aux pays lointains.
12. Les caïmans . . . ces fleuves depuis longtemps.
13. Les corbeaux . . . le danger.
14. L'herbe sèche peut . . . l'herbe verte.
15. Brahim Saloum . . . la guerre à Yéli.
16. Les guérisseurs . . . le jeune prince.

se sentir visé   se sentir touché, atteint
marigot *m.*   dans les régions tropicales, le bras mort d'un fleuve
argile *f.*   terre
pétrir   presser avec les mains
enfiler   traverser par un fil

8

Les Calebasses
de Kouss

Entrons dans un «monde à l'envers» avec Leuk-le-Lièvre et Bouki-l'Hyène. Notons que l'intérêt et l'humour du conte se trouvent dans la disparité des comportements de Leuk et Bouki. Le premier se plie aux règles de la famille Kouss alors que le second ne s'adapte pas à la situation.

«Qui suspend son bien déteste celui qui regarde en haut.»

Ce n'était pas à la femme de Bouki-l'Hyène ni à celle de Leuk-le-Lièvre que l'on s'adressait personellement lorsque l'on discutait de beauté, cependant ces dames se sentaient visées et 5 se désolaient chaque fois qu'elles entendaient parler de femmes laides. Ne pouvant plus y tenir, elles demandèrent à leurs époux de leur trouver colliers, bracelets et ceintures pour s'embellir. En bons maris, Bouki et Leuk s'en allèrent à la quête des bijoux.

Au premier marigot qu'ils trouvèrent, Bouki s'arrêta, prit de 10 l'argile humide, la pétrit, en fit des boulettes de différentes grosseurs qu'il mit à sécher au soleil après les avoir percées. Le soir venu, il en enfila plusieurs cordées et revint dire à sa femme:

— Tiens, voilà ton collier. Voici tes ceintures. Mets-toi ceci aux poignets et ceci aux chevilles. 15

Pendant ce temps, Leuk-le-Lièvre battait la brousse et fouillait la savane. Las de courir à droite et à gauche du matin au soir et ce durant sept jours, Leuk s'était étendu, le soleil chauffant vraiment trop fort, au pied d'un baobab.

s'étirer   étendre ses membres
somme *m.*   temps pendant lequel on dort
massue *f.*   bâton beaucoup plus gros à un bout qu'à l'autre
frêle (adj.)   qui donne une impression de fragilité
farineux (adj.)   de la nature de la farine
à qui que ce fût   à n'importe qui
boubou *m.*   tenue africaine
gombo *m.*   genre d'épice qu'on trouve dans la cuisine africaine
kouss *m.*   lutin, esprit
amène (adj.)   aimable
tamarinier *m.*   grand arbre tropical
enclos *m.*   barrière, ce qui sert à enfermer un espace
fagot *m.*   assemblage de branchages

— Que l'ombre de cet arbre est donc fraîche et bonne! fit-il en s'étirant après un bon somme.

— Si tu goûtais de mes feuilles, tu verrais qu'elles sont «encore meilleures», dit le baobab.

Leuk cueillit trois feuilles et les mangea, puis approuva: 5

— C'est vraiment délicieux!

— Mon fruit est encore plus délicieux, dit le baobab.

Leuk grimpa décrocher une des massues à frêle queue qui enferment le fruit farineux et sucré qu'on appelle «pain de singe», car jusque-là seul Golo-le-Singe avait su le cueillir et l'apprécier, 10 se gardant, en égoïste qu'il était, d'en offrir à qui que ce fût. Leuk cassa la coque et goûta la poudre savoureuse.

— Si seulement je pouvais m'en procurer une grande quantité, j'en vendrais et je serais riche, dit-il.

— C'est donc la richesse que tu cherches? demanda la bao- 15 bab. Regarde dans mon tronc.

Leuk avança le museau et vit de l'or, des bijoux, des boubous, des pagnes qui brillaient comme le soleil et les étoiles. Il tendit la patte vers toutes ces richesses dont il n'aurait jamais osé rêver.

— Attends, dit le baobab, ces choses ne m'appartiennent pas, 20 je ne peux te les donner. Mais dans le champ de gombos, tu trouveras quelqu'un qui peut te les procurer.

Lièvre s'en alla dans le champ de gombos et y trouva un Kouss. Le lutin était encore jeune, car si ses cheveux lui tombaient déjà sur les fesses, il n'avait pas encore de barbe; et il faut 25 être un jeune lutin pour s'aventurer en plein soleil au milieu d'un champ de gombos.

— Kouss, dit Leuk après avoir salué le petit lutin qui avait un peu peur, Kouss, Gouye-le-Baobab m'envoie vers toi...

— Je sais pourquoi, coupa le lutin, rassuré par la voix amène 30 de Leuk. Viens avec moi par le trou de ce tamarinier, mais garde-toi de rire de tout ce que tes yeux vont voir chez moi. Quand mon père va rentrer ce soir, il voudra placer son gourdin contre l'enclos, mais ce sera le gourdin qui saisira mon père et qui le mettra contre la clôture de paille. Quand ma mère ren- 35 trera avec un fagot sur la tête, elle voudra jeter le fagot par terre, mais ce sera le fagot qui soulèvera ma mère et qui la jettera sur le sol. Ma mère tuera un poulet en ton honneur, mais elle te fera manger les plumes rôties à la place de la viande qu'elle jettera.

Tu mangeras les plumes sans rien dire ni t'étonner.

Leuk promit de suivre les conseils de Kouss, qui le fit descendre par le tronc troué du tamarinier.

Dans la demeure des lutins, tout se passa comme le petit Kouss l'avait annoncé à Lièvre: et celui-ci, qui ne s'était étonné 5 de rien de ce qu'il avait vu ou entendu, y resta trois jours. Au quatrième jour, le petit lutin lui dit:

— Mon père, en rentrant, ce soir, te présentera deux calebasses, tu prendras la plus petite.

Le vieux entra, fit appeler Leuk et lui tendit deux calebasses, 10 une grande et une petite. Leuk prit la plus petite, et le vieux lutin lui dit:

— Rentre maintenant chez toi. Quand tu seras seul dans ta case, tu diras à la calebasse: «Keul, tiens ta promesse!» Va, et que ton chemin soit doux. 15

Leuk remercia les lutins grands et petits, salua poliment et s'en retourna chez lui.

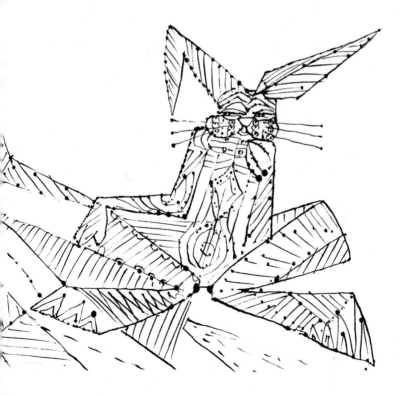

évanoui (adj.) sans connaissance
fainéant *m*. personne qui ne veut rien faire
paré orné, embelli
s'emplir remplir
arachide *f*. graine d'une plante tropicale, cacahuète
geignant (part. prés. de **geindre**) se plaindre souvent

— Keul, tiens ta promesse! fit-il une fois dans sa case.

La calebasse se remplit de bijoux de toutes sortes, de colliers, de bracelets, de ceintures de perles, de boubous teints à l'indigo du bleu-noir au bleu ciel, de pagnes de N'Galam, qu'il donna à sa femme. 5

Lorsque la femme de Leuk parut au puits le lendemain, couverte de bijoux resplendissants au soleil, l'épouse Bouki-l'Hyène faillit mourir de jalousie; elle ouvrit les yeux, elle ouvrit la bouche et tomba évanouie, écrasant ses ceintures, ses colliers et ses bracelets d'argile séchée. Quand elle revint à elle, trempée 10 jusqu'aux os par l'eau qu'on lui avait jetée pour la ranimer, elle courut jusque dans sa case secouer rudement son mari, qui s'étirait et bâillait, venant juste de se réveiller de son deuxième sommeil.

— Fainéant, propre à rien, hurla-t-elle pleine de rage, la 15 femme de Leuk est couverte de bijoux, elle est parée d'or et de perles, et tu n'as trouvé que de l'argile durcie pour la tienne. Si tu ne m'offres pas des bijoux comme les siens, je m'en retourne chez mon père.

Bouki chercha toute la journée comment faire pour se pro- 20 curer des bijoux. Au crépuscule, il croyait avoir trouvé. Il s'emplit la joue gauche d'arachide crue bien mâchée et alla trouver Leuk-le-Lièvre.

— Oncle Lièvre, fit-il en geignant, j'ai une dent qui me fait horriblement souffrir. Enlève-la-moi, pour l'amour de Dieu. 25

— Et si tu me mordais? s'inquiéta Lièvre.

— Te mordre, toi? Alors que je ne peux même pas avaler ma salive?

— Hum! Ouvre toujours la bouche. Laquelle est-ce? Celle-ci? demanda Leuk, en tâtant une canine. 30

—N...on! encore plus loin.

— Celle-ci, alors?

—N...on! encore plus loin.

Et quand Leuk eut enfoncé profondément sa patte, Bouki ferma la gueule et serra fortement. 35

— Vouye yayo! (Oh! ma mère!) cria Leuk.

— Je ne te lâcherai pas tant que tu ne m'auras pas dit où tu as trouvé toutes ces richesses.

— Laisse-moi, je t'y conduirai au premier chant du coq.

toussoté   toussé faiblement
rudoyer   traiter rudement, brutaliser

— C'est juré? interrogea Bouki entre ses dents et la patte de sa victime.

— Sur la ceinture de mon père! promit Leuk.

La terre n'était même pas encore froide que Bouki, qui n'avait pas fermé l'œil depuis le crépuscule, se leva et alla frapper son coq, puis vint dire à Lièvre:

— Le coq a chanté!

— Peut-être bien, fit Leuk, mais les vieilles gens n'ont pas toussoté.

Bouki alla au bout d'un instant, serrer le cou de sa vieille mère, qui se mit à tousser.

— Les vieilles ont toussé, revint-il dire.

— C'est bon, dit Leuk, qui n'était pas dupe, mais qui se disait que mieux valait en finir avant l'aube avec cet impossible voisin qui ne le lâcherait pas encore au crépuscule s'il ne lui donnait satisfaction.

Et ils partirent. En chemin, Leuk donna des conseils à Bouki et lui expliqua ce qu'il fallait faire et ce qu'il fallait dire, ce qu'il ne fallait pas dire et ce qu'il ne fallait pas faire. Il le laissa au pied du baobab et s'en retourna chez lui continuer son somme.

Bouki s'assit un moment, s'étendit un court instant, puis se leva et dit à l'arbre:

— Il paraît que ton ombre est fraîche, que tes feuilles sont bonnes, et que tes fruits sont délicieux, mais je n'ai pas faim et je n'ai pas le temps d'attendre ici que le soleil chauffe, j'ai autre chose à faire de plus important. Indique-moi seulement où se trouve celui qui doit me donner des richesses pareilles à celles qu'enferme ton tronc et qui, à ce que tu prétendrais, ne sont pas à toi.

Le baobab lui indiqua le champ de gombos. Il y alla et attendit jusqu'au milieu du jour la venue du jeune lutin. Quand celui-ci parut, il l'attrapa et se mit à le rudoyer. Le petit Kouss le conduisit par le trou du tronc du tamarinier, après lui avoir conseillé de ne s'étonner ni de rire de rien de ce qu'il verrait chez ses parents.

Pendant les trois jours qu'il resta dans la demeure des lutins, Bouki se moqua de tout ce qu'il voyait, après avoir déclaré qu'il n'avait jamais vu jeter de la viande et manger des plumes.

malotru *m.*   personne grossière, mal élevée

piler   écraser, réduire en poudre par des coups successifs

pilon *m.*   instrument pour piler

mortier *m.*   récipient en matière dure et résistante, servant à pulvériser

marmite *f.*   pot dans lequel on fait bouillir l'eau

coudée *f.*   ancienne mesure de longueur, la distance qui sépare le coude de l'extrémité du doigt

cogner   frapper

sakhett *f.*   barrière qui entoure les cases

culbuter   renverser, faire tomber brusquement

sans répit   sans cesse

— Ça alors! s'étonnait-il à chaque instant, depuis que je suis né, je ne l'ai jamais vu, je ne l'ai jamais entendu!

Aussi le petit Kouss, qui n'avait pas oublié les coups qu'il avait reçus dans le champ de gombos, se garda-t-il bien d'indiquer à ce malotru laquelle des calebasses il fallait choisir. D'ailleurs, le lui eût-il indiqué, que certainement Bouki n'en eût pas tenu compte; il s'estimait moins bête que Leuk, pourquoi prendre la petite calebasse (comme Lièvre le lui avait conseillé), alors qu'avec la grande, selon toute logique, on devait avoir davantage de richesses? Pas si bête!

Lorsque le vieux lutin lui présenta, au quatrième jour, les deux calebasses, en lui disant d'en prendre une, Bouki se saisit de la plus grosse et demanda à s'en retourner chez lui.

— Arrivé chez toi, lui dit le vieux lutin, tu diras à la calebasse: «Keul, tiens ta promesse!» Bouki remercia à peine, ne salua même pas et s'en alla.

Une fois dans sa maison, il ferma la porte de la clôture et plaça contre la porte un gros tronc d'arbre. Il entra dans sa case après avoir ordonné à sa femme qui pilait le mil et à ses enfants, de placer pilons, mortiers, marmites et tout ce qu'ils trouveraient contre la porte.

— Sous aucun prétexte, je ne veux qu'on me dérange, cria-t-il à travers la porte si lourdement fermée; et posant par terre la calebasse: Keul, tiens ta promesse!

De la calebasse surgit un gourdin gros comme le bras et long de trois coudées, qui se mit à le frapper vigoureusement. Courant, hurlant, se cognant à la paillote, Bouki chercha longtemps la porte, le gourdin s'abattant sans arrêt sur son dos et sur ses reins. La porte de la case céda enfin. Renversant pilons, marmites et mortiers, Bouki courut s'attaquer à la porte de la sakhett, culbutant femme et enfants, toujours sous les coups sans répit de l'implacable gourdin. Il parvint enfin à déplacer le lourd tronc d'arbre, à démolir la porte de la clôture et à se sauver dans la brousse.

Depuis ce temps-là, Bouki-l'Hyène ne se soucie plus de bijoux ni même de boubous.

Exercices

A. Choisissez le mot qui convient:

1. La femme de Bouki et celle de Leuk étaient (jolies — laides).
2. Bouki-l'Hyène et Leuk-le-Lièvre (refusent — acceptent) de s'en aller à la quête des bijoux.
3. Bouki offra des colliers (exquis — ordinaires) à sa femme.
4. Leuk (apprécie — jette) le fruit du baobab.
5. C'est donc (la richesse — la sagesse) que tu cherches? demanda le baobab.
6. Leuk s'en alla dans le champ de gombos et y trouva (sa femme — un Kouss).
7. Le lutin lui dit: Viens avec moi et (n'oublie pas de — garde-toi de) rire de tout ce que tes yeux vont voir chez moi.
8. Le lutin continue: (Le gourdin — le poulet) saisira mon père.
9. Leuk-le-Lièvre a (suivi — oublié) les conseils de Kouss.
10. Leuk a pris la plus (grande — petite) des deux calebasses.
11. Leuk (félicite — remercie) tous les lutins.
12. Quand elle voit la femme de Leuk parée de bijoux resplendissants au soleil, l'épouse Bouki-l'Hyène en est (ravie — jalouse).
13. Bouki chercha toute la journée comment faire pour (se débarrasser — se procurer) des bijoux.

14. — Oncle Lièvre, dit-il, j'ai (une dent — un doigt) qui me fait souffrir.
15. Bouki serre le cou de sa vieille mère pour qu'elle (tousse — meure).
16. Bouki ne (suit — comprend) pas les conseils de Leuk-le-Lièvre.
17. Quand il vit le lutin, Bouki se mit à le (saluer — rudoyer).
18. Bouki (frappe — se moque de) tout ce qu'il voit chez les lutins.
19. Le petit Kouss (se vengea de — aida) ce malotru.
20. De cette grande calebasse surgit un (gourdin — trésor).

B. En utilisant le vocabulaire suivant faites au moins six phrases:

le gourdin	la quête	parer	frapper
l'or	le tronc	les bijoux	le baobab
le collier	l'argile	le poulet	le lutin
«le pain de singe»			

C. Quel adjectif décrit le personnage?

jaloux-se	mystérieux-se	laid-e
malin-igne	courtois-e	généreux-se

a. la femme de Bouki-l'Hyène
b. la femme de Leuk-le-Lièvre
c. Bouki-l'Hyène
d. Kouss
e. le baobab

mamelle *f.*   sein; chez la femme, organe qui produit du lait

horizon bouché *m.*   couvert des nuages

en allé   passé

ensevelir   ici, couvrir, cacher

mécréant *m.*   personne qui n'a pas la foi

tisserand *m.*   ouvrier qui tisse des fibres textiles

égrener   dégarnir de ses grains

grelotter   trembler de froid

débité   coupé en petits morceaux

chevaucher   se recouvrir en partie

envahir   ici, remplir

9

Les Mamelles
Première partie

Dans ce conte la bonté et la douce résignation de Koumba, jeune femme bossue, s'oppose à la méchanceté de Khary, sa co-épouse, qui supporte si mal sa «toute petite bosse de rien du tout». Notons que l'auteur, Birago Diop, est partout présent. C'est lui qui, nostalgique, évoque son voyage, c'est lui qui recueille la remarque ironique de la timide Violette, et c'est lui qui conte.

Quand la mémoire va ramasser du bois mort, elle rapporte le fagot qu'il lui plaît...

L'horizon bouché m'encercle les yeux. Les verts de l'été et les roux de l'automne en allés, je cherche les vastes étendues de la savane et ne trouve que les monts dépouillés, sombres comme 5
de vieux géants abattus que la neige refuse d'ensevelir parce qu'ils furent sans doute des mécréants...

Mauvais tisserand, l'hiver n'arrive pas à égrener ni à carder son coton; il ne file et tisse qu'une pluie molle. Gris, le ciel est froid, pâle, le soleil grelotte; alors, près de la cheminée, je ré- 10
chauffe mes membres gourds...

Le feu de bois que l'on a soi-même abattu et débité semble plus chaud qu'aucun autre feu...

Chevauchant les flammes qui sautillent, mes pensées vont une à une sur des sentiers que bordent et envahissent les souvenirs. 15

Soudain, les flammes deviennent les rouges reflets d'un soleil

feu follet *m.*   flamme légère

le point culminant   qui atteint sa plus grande hauteur

effacé (adj.)   modeste

doter   donner, fournir

latérite *f.*   sol rougeâtre de la zone tropicale humide

moussu   couvert de mousse (petite plante verte qui s'attache aux pierres et aux arbres)

bosse *f.*   grosseur anormale au dos ou à la poitrine

s'abîmer   se jeter

couchant sur les vagues qui ondulent. Les flots fendus forment,
sur le fond qui fuit, des feux follets furtifs. Las de sa longue
course, le paquebot contourne paresseusement la Pointe des Al-
madies...

— Ce n'est que ça les Mamelles? avait demandé une voix 5
ironique à côté de moi...

Eh oui! Ce n'était que ça, les Mamelles, le point culminant
du Sénégal. A peine cent mètres d'altitude. J'avais dû le con-
fesser à cette jeune femme qui avait été si timide et si effacée
au cours de la traversée, que je n'avais pu résister à l'envie de 10
l'appeler Violette. Et c'est Violette qui demandait, en se mo-
quant, si ce n'était que ça les Mamelles, et trouvait mes montagnes trop modestes.

J'avais eu beau lui dire que plus bas, puisqu'elle continuait
le voyage, elle trouverait le Fouta-Djallon, les monts du Came- 15
roun, etc., etc. Violette n'en pensait pas moins que la nature
n'avait pas fait beaucoup de frais pour doter le Sénégal de ces
deux ridicules tas de latérites, moussus ici, dénudés là...

Ce n'est que plus tard, après ce premier retour au pays, bien
plus tard, qu'au contact d'Amadou Koumba, ramassant les 20
miettes de son savoir et de sa sagesse, j'ai su, entre autres choses,
de beaucoup de choses, ce qu'étaient les Mamelles, ces deux
bosses de la presqu'île du Cap-Vert, les dernières terres d'Afrique
que le soleil regarde longuement le soir avant de s'abîmer dans la
Grande Mer... 25

Quand la mémoire va ramasser du bois mort, elle rapporte le
fagot qu'il lui plaît...

Ma mémoire, ce soir, au coin du feu, attache dans le même
bout de liane mes petites montagnes, les épouses de Momar et
la timide et blonde Violette pour qui je rapporte, en réponse, 30
tardive peut-être, à son ironique question, ceci que m'a conté
Amadou Koumba.

Exercices

A. Cherchez la réponse dans le texte:

1. Quelle saison de l'année décrit le narrateur?
2. A quoi pense le narrateur?
3. Qu'est-ce que c'est que *les Mamelles?*
4. Violette apprécie-t-elle *les Mamelles?*
5. Qui a raconté la légende au narrateur?

B. Complétez les phrases suivantes en transformant l'infinitif:

1. Ce n'est que plus tard que je (*savoir*) ce qu'étaient les Mamelles.
2. Quand la mémoire va (*ramasser*) du bois mort, elle (*rapporter*) le fagot qu'il lui (*plaire*).
3. Hier je (*chercher*) les vastes étendues de la savane et ne (*trouver*) rien.
4. Ce sont deux vieux géants (*ensevelir*).
5. Violette en (*se moquer*) des Mamelles n'était plus timide.
6. Les montagnes, les épouses et la jeune femme (*s'attacher*) dans le même bout de liane.
7. Le paquebot (*revenir*) demain de sa longue course.

106

8. Si elle (*continuer*) le voyage, elle (*trouver*) les monts de Cameroun.
9. Violette (*être*) si timide et si effacée que je ne (*pouvoir*) résister à l'envie d'(*engager*) une conversation avec elle.
10. Amadou Koumba, tout en (*ramasser*) les miettes de sa sagesse nous (*raconter*) cette légende.

malveillant (adj.)   qui souhaite du mal aux autres
aigre (adj.)   amer, d'une acidité désagréable
jus de tamarin   jus d'un grand arbre tropical
bossu (adj.)   avoir le dos arrondi, déformé
camisole *f.*   genre de chemise
empesé (adj.)   raide
tinter   sonner

10

Les Mamelles

Deuxième partie

Lorsqu'il s'agit d'épouses, deux n'est point un bon compte. Pour qui veut s'éviter souvent querelles, cris, reproches et allusions malveillantes, il faut trois femmes ou une seule et non pas deux. Deux femmes dans une même maison ont toujours avec elles une troisième compagne qui non seulement 5 n'est bonne à rien, mais encore se trouve être la pire des mauvaises conseillères. Cette compagne c'est l'Envie à la voix aigre et acide comme du jus de tamarin.

Envieuse, Khary, la première femme de Momar, l'était. Elle aurait pu remplir dix calebasses de sa jalousie et les jeter dans 10 un puits, il lui en serait resté encore dix fois dix outres au fond de son cœur noir comme du charbon. Il est vrai que Khary n'avait peut-être pas de grandes raisons à être très, très contente de son sort. En effet, Khary était bossue. Oh! une toute petite bosse de rien du tout, une bosse qu'une camisole bien empesée 15 ou un boubou ample aux large plis pouvaient aisément cacher. Mais Khary croyait que tous les yeux du monde étaient fixés sur sa bosse.

Elle entendait toujours tinter à ses oreilles les cris de «Khary-khougué! Khary-khougué!» (Khary-la Bossue!) et les 20 moqueries de ses compagnes de jeu du temps où elle était petite fille et allait comme les autres, le buste nu; des compagnes qui lui demandaient à chaque instant si elle voulait leur prêter le bébé qu'elle portait sur le dos. Pleine de rage, elle les poursuivait, et malheur à celle qui tombait entre ses mains. Elle la 25

tresse *f.*   trois longues mèches de cheveux entrecroisées

boucle d'oreille *f.*   bijou en forme d'anneau que l'on passe à travers l'oreille

tout son saoul (soûl)   autant qu'on veut

le lait qu'un génie a enjambé   lait caillé (aigre et coagulé)

exécrable (adj.)   affreux, épouvantable

escompté   espéré

canari de teinturière *m.*   récipient utilisé par la personne dont le métier est de colorier les tissus

foulard *m.*   étoffe légère

téter   se nourrir du lait maternel

s'évertuer   faire des efforts

griffait, lui arrachait tresses et boucles d'oreilles. La victime de Khary pouvait crier et pleurer tout son saoul; seules les compagnes la sortaient, quand elles n'avaient pas trop peur des coups, des griffes de la bossue, car pas plus qu'aux jeux des enfants, les grandes personnes ne se mêlent à leurs disputes et 5 querelles.

Avec l'âge, le caractère de Khary ne s'était point amélioré, bien au contraire, il s'était aigri comme du lait qu'un génie a enjambé, et c'est Momar qui souffrait maintenant de l'humeur exécrable de sa bossue de femme. 10

Momar devait, en allant aux champs, emporter son repas. Khary ne voulait pas sortir de la maison, de peur des regards moqueurs, ni, à plus forte raison, aider son époux aux travaux de labour.

Las de travailler tout le jour et de ne prendre que le soir un 15 repas chaud, Momar s'était décidé à prendre une deuxième femme et il avait épousé Koumba.

A la vue de la nouvelle femme de son mari, Khary aurait dû devenir la meilleure des épouses, la plus aimable des femmes — et c'est ce que, dans sa naïveté, avait escompté Momar — il n'en 20 fut rien.

Cependant, Koumba était bossue, elle aussi. Mais sa bosse dépassait vraiment les mesures d'une honnête bosse. On eût dit, lorsqu'elle tournait le dos, un canari de teinturière qui semblait porter directement le foulard et la calebasse posés sur 25 sa tête. Koumba, malgré sa bosse, était gaie, douce et aimable.

Quand on se moquait de la petite Koumba-Khoughé du temps où elle jouait, buste nu, en lui demandant de prêter un instant le bébé qu'elle avait sur le dos, elle répondait, en riant plus fort que les autres: «Ça m'étonnerait qu'il vienne avec toi. Il ne veut 30 même pas descendre pour téter.»

Au contact des grandes personnes, plus tard, Koumba, qui les savait moins moqueuses peut-être que les enfants, mais plus méchantes, n'avait pas changé de caractère. Dans la demeure de son époux, elle restait la même. Considérant Khary comme une 35 grande sœur, elle s'évertuait à lui plaire. Elle faisait tous les gros travaux du ménage, elle allait à la rivière laver le linge, elle

vanner   secouer le grain
acariâtre (adj.)   d'une humeur difficile
glouton (adj.)   qui mange beaucoup
se repaître   se nourrir
mets *m.*   repas
fesses à l'aurore   derrière de bonne heure le matin
veille *f.*   ici, nuit
biner   briser la terre
sarcler   arracher les mauvaises herbes
se blottir   se replier sur soi-même
bouillie *f.*   plat préparé avec du lait et de la farine

vannait le grain, et pilait le mil. Elle portait, chaque jour, le repas aux champs et aidait Momar à son travail.

Khary n'en était pas plus contente pour cela, bien au contraire. Elle était, beaucoup plus qu'avant, acariâtre et méchante, tant l'envie est une gloutonne qui se repaît de n'importe 5 quel mets, en voyant que Koumba ne semblait pas souffrir de sa grosse bosse.

Momar vivait donc à demi heureux entre ses deux femmes, toutes deux bossues, mais l'une, gracieuse, bonne et aimable, l'autre, méchante, grognonne et malveillante comme des fesses 10 à l'aurore.

Souvent, pour aider plus longtemps son mari, Koumba emportait aux champs le repas préparé de la veille ou de l'aube. Lorsque binant ou sarclant depuis le matin, leurs ombres s'étaient blotties sous leurs corps pour chercher refuge contre 15 l'ardeur du soleil, Momar et Koumba s'arrêtaient. Koumba faisait réchauffer le riz ou la bouillie, qu'elle partageait avec son époux; tous deux s'allongeaient ensuite à l'ombre du tamarinier qui se trouvait au milieu du champ. Koumba, au lieu de dormir comme Momar, lui caressait la tête en rêvant peut- 20 être à des corps de femme sans défaut.

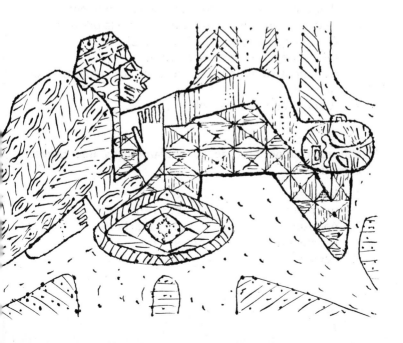

Exercices

A. Trouvez la réponse dans le texte:

1. Une famille harmonieuse se contentera de combien d'épouses?
2. Qui est la troisième compagne de Momar?
3. De quoi Khary souffrait-elle?
4. Comment supporte-t-elle son malheur?
5. Pourquoi Momar prend-il une deuxième femme?
6. La deuxième femme ressemble-t-elle à la première?
7. Que mangent Momar et Khary aux champs?
8. Quels sont les travaux de Koumba?
9. Comment Koumba répond-elle aux enfants moqueurs?
10. A quoi Koumba rêve-t-elle?

B. Utilisez chaque mot de vocabulaire dans une phrase complète:

1. la bosse
2. moqueur
3. épouser
4. la demeure
5. l'envie
6. s'évertuer
7. le ménage
8. arracher
9. las
10. dépasser

souffle *m.*   esprit surnaturel

11

Les Mamelles

Troisième partie

Le tamarinier est, de tous les arbres, celui qui fournit l'ombre la plus épaisse; à travers son feuillage que le soleil pénètre difficilement, on peut apercevoir, parfois, en plein jour, les étoiles; c'est ce qui en fait l'arbre le plus fréquenté par les génies et les souffles, par les bons génies comme par les mauvais, par les souffles apaisés et par les souffles insatisfaits. 5

Beaucoup de fous crient et chantent le soir qui, le matin, avaient quitté leur village ou leur demeure, la tête saine. Ils étaient passés au milieu du jour sous un tamarinier et ils y avaient vu ce qu'ils ne devaient pas voir, ce qu'ils n'auraient pas 10 dû voir: des êtres de l'autre domaine, des génies qu'ils avaient offensés par leurs paroles ou par leurs actes.

Des femmes pleurent, crient, rient et chantent dans les villages qui sont devenues folles parce qu'elles avaient versé par terre l'eau trop chaude d'une marmite et avaient brûlé des génies qui 15 passaient ou qui se reposaient dans la cour de leur demeure. Ces génies les avaient attendues à l'ombre d'un tamarinier et avaient changé leur tête.

Momar ni Koumba n'avaient jamais offensé ni blessé, par leurs actes ou par leurs paroles, les génies; ils pouvaient ainsi 20 se reposer à l'ombre du tamarinier, sans craindre la visite ni la vengeance de mauvais génies.

Momar dormait ce jour-là, lorsque Koumba, qui cousait près de lui, crut entendre, venant du tamarinier, une voix qui disait son nom; elle leva la tête et aperçut, sur la première branche de 25

digne (adj.)   qui mérite l'estime

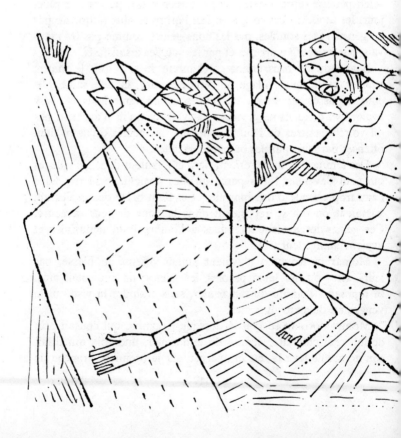

l'arbre, une vieille, très vieille femme dont les cheveux, longs et
plus blancs que du coton égrené, recouvraient le dos.

— Es-tu en paix, Koumba? demanda la vieille femme.

— En paix seulement, Mame (Grand-mère), répondit
Koumba.   5

— Koumba, reprit la vieille femme, je connais ton bon
cœur et ton grand mérite depuis que tu reconnais ta droite de
ta gauche. Je veux te rendre un grand service, car je t'en sais
digne. Vendredi, à la pleine lune, sur la colline d'argile de
N'Guew, les filles-génies danseront. Tu iras sur la colline lorsque 10
la terre sera froide. Quand le tam-tam battra son plein, quand
le cercle sera bien animé, quand sans arrêt une danseuse rem-
placera une autre danseuse, tu t'approcheras et tu diras à la
fille-génie qui sera à côté de toi:

— Tiens, prends-moi l'enfant que j'ai sur le dos, c'est à mon 15
tour de danser.

sa-ndia'ye *m.*   danse sénégalaise

claquement *m.*   bruit sec et sonore

étourdissant (adj.)   étonnant par son bruit

se relayer   se remplacer l'un l'autre alternativement

gazelle *f.*   antilope

fiel *m.*   bile, amertume

motte *f.*   petite masse de terre

sindian *m.*   plante dont on utilise la racine dans la préparation des
   médicaments

masser   presser avec les mains pour donner de la souplesse aux
   muscles

étouffement *m.*   grande difficulté à respirer

Le vendredi, par chance, Momar dormait dans la case de Khary, sa première femme.

Les derniers couchés du village s'étaient enfin retournés dans leur premier sommeil, lorsque Koumba sortit de sa case et se dirigea vers la colline d'argile.   5

De loin elle entendit le roulement endiablé du tam-tam et les battements des mains. Les filles-génies dansaient le sa-ndia'ye, tournoyant l'une après l'une au milieu du cercle en joie. Koumba s'approcha et accompagna de ses claquements de mains le rythme étourdissant du tam-tam et le tourbillon frénétique des danseuses 10 qui se relayaient.

Une, deux, trois... dix avaient tourné, tourné, faisant voler boubous et pagnes... Alors Koumba dit à sa voisine de gauche en lui présentant son dos:

— Tiens, prends-moi l'enfant, c'est à mon tour.   15

La fille-génie lui prit la bosse et Koumba s'enfuit.

Elle courut et ne s'arrêta que dans sa case, où elle entra au moment même où le premier coq chantait.

La fille-génie ne pouvait plus la rattraper, car c'était le signal de la fin du tam-tam et du départ des génies vers leurs 20 domaines jusqu'au prochain vendredi de pleine lune.

Koumba n'avait plus sa bosse. Ses cheveux finement tressés retombaient sur son cou long et mince comme un cou de gazelle. Momar la vit en sortant le matin de la case de sa première épouse, il crut qu'il rêvait et se frotta plusieurs fois les yeux. 25 Koumba lui apprit ce qui s'était passé.

La salive de Khary se transforma en fiel dans sa bouche lorsqu'elle aperçut à son tour, Koumba qui tirait de l'eau au puits; ses yeux s'injectèrent de sang, elle ouvrit la bouche sèche comme une motte d'argile qui attend les premières pluies, et 30 amère comme une racine de sindian; mais il n'en sortit aucun son, et elle tomba évanouie. Momar et Koumba la ramassèrent et la portèrent dans sa case. Koumba la veilla, la faisant boire, la massant, lui disant de douces paroles.

Quand Khary fut remise sur pied, échappant à l'étouffement 35 par la jalousie qui lui était montée du ventre à la gorge, Koumba,

paître   mener les bêtes aux champs
adresse *f.*   habilité dans les mouvements du corps
bourdonner   murmurer, dire à mi-voix ou à voix basse
haletant (adj.)   à bout de souffle

toujours bonne compagne, lui raconta comment elle avait perdu
sa bosse et lui indiqua comment elle aussi devait faire pour se
débarrasser de la sienne.

Khary attendit avec impatience le vendredi de pleine lune
qui semblait n'arriver jamais. Le soleil, traînant tout le long 5
du jour dans ses champs, ne paraissait plus pressé de regagner
sa demeure et la nuit s'attardait longuement avant de sortir de
la sienne pour faire paître son troupeau d'étoiles.
  Enfin ce vendredi arriva, puisque tout arrive.
  Khary ne dîna pas ce soir-là. Elle se fit répéter par Koumba 10
les conseils et les indications de la vieille femme aux longs
cheveux de coton du tamarinier. Elle entendit tous les bruits de
la première nuit diminuer et s'évanouir, elle écouta naître et
grandir tous les bruits de la deuxième nuit. Lorsque la terre fut
froide, elle prit le chemin de la colline d'argile où dansaient les 15
filles-génies.
  C'était le moment où les danseuses rivalisaient d'adresse, de
souplesse et d'endurance, soutenues et entraînées par les cris,
les chants et les battements de mains de leurs compagnes qui
formaient le cercle, impatientes elles aussi de montrer chacune 20
son talent, au rythme accéléré du tam-tam qui bourdonnait.
  Khary s'approcha, battit des mains comme la deuxième épouse
de son mari le lui avait indiqué; puis, après qu'une, trois, dix
filles-génies entrèrent en tourbillonnant dans le cercle et sor-
tirent haletantes, elle dit à sa voisine : 25
  — Tiens, prends-moi l'enfant, c'est à mon tour de danser.
  — Ah non, alors! dit la fille-génie. C'est bien à mon tour.
Tiens, garde-moi celui-ci que l'on m'a confié depuis une lune
entière et que personne n'est venu réclamer.
  Ce disant, la fille-génie plaqua sur le dos de Khary la bosse 30
que Koumba lui avait confiée. Le premier coq chantait au même
moment, les génies disparurent et Khary resta seule sur la colline d'argile, seule avec ses deux bosses.
  La première bosse, toute petite, l'avait fait souffrir à tous les
instants de sa vie, et elle était là maintenant avec une bosse de 35

retrousser relever
engloutir submerger, avaler
surplomber dominer

plus, énorme, plus qu'énorme, celle-là! C'était vraiment plus qu'elle ne pourrait jamais en supporter.

Retroussant ses pagnes, elle se mit à courir droit devant elle. Elle courut des nuits, elle courut si loin et elle courut si vite qu'elle arriva à la mer et s'y jeta. 5

Mais elle ne disparut pas toute. La mer ne voulut pas l'engloutir entièrement.

Ce sont les deux bosses de Khary-Khoughé qui surplombent la pointe du Cap-Vert, ce sont elles que les derniers rayons du soleil éclairent sur la terre d'Afrique. 10

Ce sont les deux bosses de Khary qui sont devenues les Mamelles.

Exercices

A. Oui? Non?

1. Le tamarinier est un arbre épais.
2. Pour plaire aux génies, on verse de l'eau bouillante.
3. Momar et Koumba ont offensé les génies.
4. La vieille femme aux cheveux blancs voudrait se venger de Koumba.
5. Koumba se dirigea vers la colline d'argile le matin de bonne heure.
6. Les filles-génies dansaient le sa-ndia'ye.
7. Koumba dit à sa voisine, «Tiens, prête-moi l'enfant que tu portes sur le dos.»
8. Koumba lui prit la bosse et la fille-génie s'enfuit.
9. Momar était très jaloux et il tomba évanoui.
10. Khary a pris le chemin de la colline d'argile.
11. Khary s'approcha et battit des mains.
12. «Tiens, garde-moi l'enfant que l'on m'a confié depuis une lune entière,» dit Khary.
13. Khary reste seule sur la colline d'argile, seule avec ses deux bosses.
14. La deuxième était une toute petite bosse de rien du tout.
15. Khary se jeta à la mer et elle disparut pour toujours.

B. Sujet de devoir

A la manière de Birago Diop, décrivez une personne qui présente un défaut physique ou moral.

Réussit-elle à le surmonter?
Quel est l'effet du défaut sur les autres membres de la communauté?
Quel est l'effet du défaut sur ceux qui lui sont tout près?

Head, Sao culture (Chad)

Joseph Brahim Seid
Tchad

mésentente *f.*   quand on ne s'entend pas

inimitié *f.*   hostilité

luire   émettre ou refléter la lumière

délasser   ôter la fatigue

gerbe *f.*   bouquet

enjoué   gai, en bonne humeur

cachottier (adj.)   qui fait des mystères sur des choses de peu d'importance

épier   observer secrètement

hisser   élever, faire monter

12

L'Eclipse
de la lune

*L'hostilité entre les deux astres, le soleil et la lune,
menace la terre. Ce n'est que l'intervention des
hommes, avertis du danger, qui empêche le cataclysme!*

La discorde, la mésentente n'existent pas seule-
ment entre les hommes. Là-haut, dans le ciel, le soleil et la lune
se sont jurés une inimitié éternelle. Pourtant, les deux astres
semblent être faits pour s'entendre: l'un et l'autre sont une
sublime plénitude de la justice, l'un et l'autre dissipent les 5
ombres; ils luisent pour l'homme, ils luisent pour les bêtes, ils
luisent pour les plantes. Eternels voyageurs errants, l'un et
l'autre éclairent les déserts, les forêts, les lacs et les vallons.

Il y a certes entre les deux astres une opposition de tempéra-
ment: autant le soleil est plein d'ardeur virile, autant il chauffe, 10
vivifie et consume, autant la lune est d'une douceur maternelle;
elle caresse, rafraîchit et délasse. L'astre du jour est d'une
ponctualité d'horloge; il se lève le matin, salue la nature avec
une gerbe de feux écarlates. La lune, au contraire, manque de
stabilité et d'assurance; elle est enjouée, cachottière. Tantôt elle 15
apparaît à l'Occident, montrant seulement son museau pour
épier le monde qui l'attend, tantôt elle émerge à l'Orient et se
hisse, ronde belle, éclatante de blancheur dans le ciel.

Mais cette différence de caractère qui oppose les deux astres
n'explique pas encore assez la discorde qui règne entre eux. La 20

folâtre (adj.)   gai

gravir   monter avec effort

ronce *f.*   branche ou tige épineuse et basse

désagréger   décomposer, écrouler

éclaboussure *f.*   boue

acéré (adj.)   aigu, tranchant, caustique

hérisser   garnir d'obstacles, de choses pointues

braquer   tourner un objet vers un point

s'éparpiller   se répandre

objurgation *f.*   prière, essai de dissuader quelqu'un

funeste (adj.)   qui apporte la mort, fatal

désapprobation *f.*   action de désapprouver, de blâmer

qui . . . , qui . . .   «qui» répété s'emploie ici dans un sens distributif
et signifie «celui-ci . . . , celui-là . . . », «ceux-ci . . . , ceux-là . . .»

nue *f.*   nuage, ciel

dénouer   trouver une solution

rebrousser   ici, prendre le chemin dans la direction opposée

millénaire (adj.)   qui a mille ans

cause de leur inimitié remonte bien loin dans la nuit des temps.

Un soir, lasse de son existence folâtre, la lune eut le désir de rencontrer le soleil. Elle s'engagea sur le chemin de ce dernier, gravit une pente difficile, parsemée de cailloux, de ronces et d'épines. Après avoir parcouru péniblement une longue dis- 5 tance, elle se trouva brusquement prise de malaise; en l'espace de quelques secondes, sa blancheur pâlit et une grande ombre s'étendit sur la terre. Le soleil, qui voyait la lune s'approcher de lui, souffla un vent qui fit désagréger les cailloux en éclabous- sures, dresser les ronces et les épines en dards acérés, hérissant 10 ainsi d'obstacles insurmontables la voie déjà si malaisée que suivait la lune. En outre, il braqua sur elle ses rayons ardents et, lentement, la lune se consuma.

Elle aurait bientôt été réduite en cendres pour s'éparpiller sur la terre si les hommes ayant pris conscience du drame qui se 15 jouait, n'avaient de leurs objurgations arrêté le soleil dans son funeste dessein. Ils frappèrent sur des calebasses retournées, dans des canaris remplis d'eau, faisant ainsi monter de la terre vers le ciel une rumeur bourdonnante, une désapprobation tu- multueuse. En même temps, ils allumèrent du feu devant leurs 20 cases, firent cuire qui du mil, qui du maïs, qui des arachides et les partagèrent aux petits enfants. Ceux-ci, après s'être bien régalés, élevèrent une prière pleine d'innocence qui monta jusque dans les profondeurs des nues. C'est alors seulement que se dénoua l'angoissante tragédie céleste. Pris de commisération, 25 le soleil atténua l'ardeur de ses feux et la lune peu à peu revenue à elle-même, retrouva sa vigueur et rebroussa chemin. Elle reprit sa position et continua silencieusement sa course planétaire pour effectuer sa révolution autour de la terre.

Aujourd'hui encore, il arrive que la belle reine des nuits 30 recommence son aventure pour se retrouver dans une situation tragique en s'engageant dans la voie du soleil. Et, comme autre- fois les hommes du Tchad et leurs enfants, pleins d'inquiétude et d'angoisse, recommencent dans la nuit un geste mille fois millé- naire pour obtenir la délivrance de la lune, afin d'éloigner de la 35 terre un cataclysme qui serait sans précédent dans l'histoire du monde.

Exercices

A. Choisissez le mot qui convient:

1. La lune et le soleil sont (des amis — des ennemis).
2. Tous les deux dissipent (les ombres — les vents).
3. Le soleil est très (fort — doux).
4. La lune est très (forte — douce).
5. (La lune — le soleil) est d'une ponctualité d'horloge.
6. La différence de caractère (explique bien — n'explique pas assez) la discorde qui existe entre eux.
7. Un soir (le soleil — la lune) eut le désir de rencontrer l'astre rival.
8. La lune gravit une pente difficile et se trouva prise de (malaise — angoisse).
9. A cause de ces (vents forts — rayons vifs) elle se consumait lentement.
10. (Les hommes — les animaux) arrêtèrent le soleil.
11. Ils faisaient monter (un bruit — une calebasse) énorme.
12. Le soleil se vit persuadé de (consumer — sauver) l'astre mourant.

B. Mettez les phrases suivantes au présent et au futur.

1. La discorde n'exista pas seulement entre les hommes.
2. L'un et l'autre furent une sublime plénitude de la justice.
3. J'éclairai les déserts, les forêts, les lacs, les vallons.
4. La lune rafraîchit et délassa.
5. Au contraire, cet astre manqua de stabilité et d'assurance.
6. Tantôt elle apparut à l'Occident, tantôt à l'Orient.
7. Le soleil vit la lune s'approcher.
8. Les hommes frappèrent sur des calebasses retournées et dans des canaris remplis d'eau.
9. Tu te consumas puisque je braquai des rayons ardents sur toi!
10. La lune reprit sa position et continua sa course planétaire.
11. Ils recommencèrent leur aventure pour revivre la même situation tragique.
12. Nous fîmes le geste mille fois millénaire pour obtenir la délivrance de la lune.

ânesse *f.* la femelle de l'âne

pieux (adj.) qui est inspiré par des sentiments de piété, des sentiments religieux

aménager arranger

merle *m.* oiseau à plumage sombre

tourterelle *f.* oiseau voisin du pigeon

tacheter marquer de petites taches

carmin *m.* (adj.) couleur d'un rouge intense

pie *f.* oiseau à plumage noir et blanc, à longue queue, qui pousse un cri perçant

serin *m.* petit oiseau jaune des Iles Canaries

gobe-mouches *m.* oiseau qui capture des insectes au vol

à cloche-pied sur un pied

pleurnichard *m.* qui a l'habitude de pleurer

exaucer satisfaire quelqu'un en lui donnant ce qu'il demande

être enceinte attendre un enfant

flétrir condamner

13

La plus belle fille
de la terre cachée
sous une peau d'ânesse

*Le merveilleux s'allie au fantastique dans ce conte
et nous assistons à la métamorphose d'une ânesse.
L'animal le plus laid de tous devient la plus belle
fille de la terre!*

Am-Sitep était une femme aussi pieuse que belle. Aussi refusa-t-elle de répondre à toutes les demandes en mariage que lui adressaient les nombreux prétendants de son village. Pour mieux adapter sa vie à ses conceptions, elle aménagea autour de sa case un magnifique jardin où elle installa plusieurs 5 cages à oiseaux. On y voyait le merle à reflets métalliques, la tourterelle au plumage gris tacheté de carmin, la pie noire à longue queue, le serin jaune, le gobe-mouches aux couleurs de l'arc-en-ciel.

Chaque matin, ce beau jardin ouvrait ses portes à tous les 10 enfants du village. Ils venaient s'y amuser. Les uns sautaient à cloche-pied dans les allées sablonneuses, les autres jouaient en se poursuivant dans la verdure. Am-Sitep allait de l'un à l'autre, consolant les pleurnichards, encourageant les plus timides. Toute sa journée se passait ainsi au milieu des cris joyeux et 15 des pleurs innocents. Mais lorsque le soir tombait, les enfants rejoignaient leurs parents et Am-Sitep se retrouvait toute seule.

Dans le silence de la nuit, elle implorait Allah de peupler sa solitude en lui donnant un enfant. La Providence exauça sa prière. Elle fut enceinte. L'occasion s'offrit alors aux mauvaises 20 langues de flétrir sa chasteté, de parler d'elle en des termes très

accoucher mettre un enfant au monde
calomnie *f.* fausse accusation qui blesse la réputation
ânon *m.* petit âne
châtiment *m.* punition, correction
miel *m.* substance sirupeuse et sucrée produite par les abeilles

méchants. Mais Am-Sitep n'écouta guère leurs calomnies. Un matin, au plus grand étonnement de tout le monde, elle accoucha, ô Seigneur! d'un petit ânon! Oui, d'un petit ânon aux longues oreilles! Tout le pays en fut consterné. Hommes et femmes en parlèrent avec une stupeur angoissée — Certains prétendirent 5 même qu'il s'agissait d'un châtiment de Dieu. Effrayés, les parents retinrent chez eux leurs enfants. La pauvre Am-Sitep fut abandonnée de tous. Mais, loin de s'attrister, elle s'estima au contraire très heureuse. Comme toutes les mères africaines, elle prodigua mille et un soins à son petit ânon. Elle n'eut jamais 10 honte de le porter sur son dos et de chanter ainsi pour lui:

> «Que savez-vous de plus radieux que le soleil levant?
> C'est mon beau petit ânon!
> Que savez-vous de plus doux que le miel parfumé?
> C'est mon gracieux petit ânon!...   15

Une fois solide sur ses pattes, Am-Sitep le fit jouer dans le

gambader   sauter, danser
galette *f.*   gâteau fait de farine, de beurre et d'œufs
remue-ménage *m.*   trouble, désordre
gisait (imp. de **gésir**)   être couché, se trouver
quolibet *m.*   plaisanterie vulgaire
bourrique *f.*   la femelle de l'âne
faire des gorges chaudes   se moquer bruyamment
revêtir   couvrir d'un vêtement
noce *f.*   célébration d'un mariage

jardin où il gambadait en poussant des hi! han! sonores. Elle prit même l'habitude de le laisser seul à la case lorsqu'elle se rendait aux champs. C'est ainsi qu'un jour, petit ânon eut envie de manger une galette. Il s'enferma.dans la cuisine, prit un peu de mil et l'écrasa dans un mortier. Ce remue-ménage, en 5 l'absence d'Am-Sitep, intrigua un petit garçon Abakar, qui jouait à proximité. Très curieux, il vint regarder par le trou de la porte et fut alors surpris de voir une ravissante petite fille qui pilait. A côté d'elle gisait une peau d'âne. L'enfant s'éloigna discrètement sans dire mot à personne. Le lendemain, il vint 10 trouver l'ânon et partagea avec lui son gâteau de mil.

Dès ce jour, ils devinrent amis et se firent des confidences.

Plus tard, quand sonna pour Abakar l'heure de choisir une compagne, il alla demander en mariage l'ânon devenu ânesse. Ses parents le traitèrent de fou, ses camarades se moquèrent de 15 lui. Abakar ne s'inquiéta guère de leurs quolibets. Il alla contracter mariage avec la bourrique. Tout le pays en fit des gorges chaudes. Furieux, son père prit un couteau, se rendit chez son fils pour le tuer. Mais à la vue d'une femme aussi belle que l'aurore, son bras qu'il voulait meurtrier laissa tomber son arme. 20 Abakar lui dit simplement: «Père, voici ma femme». L'homme n'en croyait pas ses yeux. Il sortit précipitamment, courut embrasser Am-Sitep et lui raconta ce qu'il venait de voir. Sans s'attarder davantage, il rentra chez lui, fit venir tous les habitants du village et commanda à ses serviteurs de leur donner à 25 boire et à manger. Il ordonna ensuite à ses domestiques d'apporter les plus beaux pagnes, les plus beaux habits «Allez, leur dit-il, revêtez-en mon fils et sa femme. Réjouissons-nous de cet heureux mariage!»

C'est ainsi que furent célébrées les noces d'Abakar et de la 30 plus belle fille de la terre cachée sous une peau d'ânesse.

Am-Sitep mourut de joie en louant le Seigneur. Sur sa tombe, un nénuphar poussa, étalant de blanches corolles surmontées d'étamines dorées. Cette fleur, symbole de la suprême beauté féminine, était l'image exacte de sa fille. 35

C'est pourquoi la plus flatteuse louange qu'on puisse faire aujourd'hui à une femme du Tchad, c'est de lui souffler discrètement au creux de l'oreille: «Vous êtes belle comme la fille d'Am-Sitep ou la femme d'Abakar».

Exercices

A. L'ordre chronologique est à refaire:

a. Un jour petit ânon eut envie de manger une galette.

b. Elle implorait Allah de lui donner un enfant.

c. Toute sa journée se passait au milieu des cris et des pleurs des enfants.

d. Ce remue-ménage intrigua le petit Abakar qui jouait tout près.

e. Furieux, le père voulait tuer le fils.

f. La pauvre Am-Sitep fut abandonnée de tous.

g. Am-Sitep était une femme aussi pieuse que belle.

h. Quand la mère mourut, un nénuphar poussa sur sa tombe.

i. Lorsque le soir tombait, Am-Sitep se retrouvait toute seule.

j. Am-Sitep accoucha d'un petit ânon!

k. Comme toutes les mères africaines, elle portait son bébé sur le dos.

l. Il vit une belle petite fille qui pilait le mil à côté d'une peau d'âne.

m. Le père fit venir tout le village pour fêter le mariage.

n. Abakar demanda l'ânon en mariage.

o. A la vue de la belle femme il laissa tomber son arme.

B. Choisissez l'adjectif qui complétera la phrase:

magnifique	mauvais	petit
curieux	long	parfumé
chaud	flatteur	nombreux
furieux	meurtrier	angoissé
joyeux	solitaire	triste
sablonneux	malheureux	mystérieux

1. Autour de sa case Am-Sitep aménagea un . . . jardin.
2. Am-Sitep menait une vie . . .
3. Am-Sitep refusait les . . . prétendants.
4. Les enfants jouaient dans les allées . . .
5. Ils poussaient des cris . . .
6. Les . . . langues flétrirent sa chasteté.
7. Oui! un . . . ânon aux . . . oreilles.
8. Elle fut abandonnée par les villageois . . .
9. Que savez-vous de plus doux que le miel . . .
10. Abakar était un garçon très . . .
11. Tout le monde en fit des gorges . . .
12. Le père . . . prit un couteau.
13. Il laisse tomber son arme . . .
14. Réjouissons-nous de leur mariage . . .
15. C'est la plus . . . louange qu'on puisse faire.

armateur *m.* propriétaire de bateaux
le Chari rivière qui se jette dans le lac Tchad
renommée *f.* réputation
concurrence *f.* rivalité

14

Le Bonnet, la bourse et la canne magiques

Tant d'obstacles à franchir si l'on veut épouser la belle fille du sultan. Allons suivre le jeune Liman qui subit toutes les épreuves pour mériter la belle princesse.

Cela se passa il y a trois fois deux mille ans. Un jeune et riche armateur vivait sur le bord du Chari. Il s'appelait Liman. Sa puissance était très grande et il jouissait d'une grande renommée. Beaucoup de tribus riveraines demandèrent sa protection. Il y eut alors une grande rivalité entre lui et le sultan 5 de Goulfei qui régnait sur la rive gauche du Chari. Cette concurrence aurait duré longtemps si le destin n'en avait décidé autrement.

Le sultan avait une fille d'une splendide beauté. Elle était douce et tendre comme une fleur de saison des pluies. Tout le 10 pays en parlait. Dans les rues, sur la place du village, au marché, à la pêche comme à la chasse, partout, les jeunes gens n'évoquaient que la silhouette de la princesse Gada. Chacun caressait le secret espoir de faire un jour fortune pour aller la demander en mariage. Liman, lui, n'hésita pas. Arrivé 15 au sommet de la gloire et de la richesse, il alla solliciter sa main. Le sultan exigea, en l'honneur des fiançailles, des cadeaux fabuleux. Et, sans l'ombre d'un doute, Liman dépensa toute sa fortune en moins de temps qu'il ne mit pour l'acquérir. Il vendit même ses barques, ses terres, mais rien n'était encore décidé. 20

145

temporiser   remettre, retarder
garder par devers lui   garder en possession
fastueux (adj.)   riche, luxueux
coffret *m.*   petite caisse où l'on garde des choses précieuses
se faufiler   se glisser adroitement
sentinelle *f.*   soldat gardant un objet ou lieu
soporifique (adj.)   qui provoque le sommeil
s'emparer   prendre possession
démuni   privé
penaud (adj.)   embarrassé, honteux
sur-le-champ (adv.)   aussitôt, immédiatement
empressement *m.*   ardeur, zèle à l'égard de quelqu'un

Le père temporisait et le mariage n'avait toujours pas lieu. Finalement, Liman se vit refuser la main de la belle Gada. Et, comme il était dans les usages du pays, le Sultan garda par devers lui tous les cadeaux reçus. Le jeune armateur se trouva ainsi ruiné. Aussi, décida-t-il d'aller vivre ailleurs, sous d'autres 5 cieux, loin de la belle princesse. Mais, sa vieille grand-mère le retint: «Sache bien, lui dit-elle que la grande sagesse, ici-bas, consiste à passer sans efforts ni regrets de l'opulence fastueuse à la pauvreté. Ton grand-père, en mourant, m'a confié un vieux bonnet tout usé par le temps; il te servira peut-être. Ce bonnet 10 te permettra de passer partout inaperçu quand tu l'as sur la tête!» Et, là-dessus, elle tira l'objet d'un vieux coffret et le lui remit. Liman se couvrit la tête, puis partit immédiatement au palais du Sultan dans l'espoir de revenir avec toute sa richesse. Invisible, il se faufila entre les sentinelles, traversa plusieurs 15 couloirs et se trouva dans la chambre de la princesse. A la vue de celle-ci, il ôta son bonnet. La belle Gada domina toute sa surprise et sa frayeur. Elle le reçut fort poliment, lui posa beaucoup de questions auxquelles Liman répondit naïvement en révélant son secret. Gada lui fit alors servir une boisson sopori- 20 fique. Quelques instants après, Liman tomba dans un profond sommeil; la princesse s'empara de son bonnet magique et commanda à ses serviteurs de jeter son visiteur par-dessus le mur du palais.

Quand Liman prit conscience, il se vit dans la poussière du 25 chemin, démuni de son précieux bonnet. Tout penaud, il regagna sa case et raconta à sa grand-mère sa triste mésaventure. Cette dernière le consola en lui remettant une bourse: «Tiens, lui-dit-elle, et tâche de te tirer d'embarras avec cette bourse. Il te suffit d'y enfermer une seule pièce de monnaie pour l'obtenir en 30 autant de fois que tu désires: Liman en fit preuve sur-le-champ. Sans attendre, il partit de nouveau au palais de Goulfei. Après avoir royalement distribué des cadeaux çà et là, il obtint la complicité de quelques gardes qui l'introduisirent chez Gada. Celle-ci l'accueillit avec empressement et fit de son mieux pour le mettre 35 à l'aise, surtout pour lui faire oublier le mauvais tour qu'elle lui avait joué. Elle s'évertua même avec malice à lui chanter une belle romance:

cajoler   caresser, flatter

vœu *m*.   promesse

maudit   très désagréable, très mauvais

clin d'œil *m*.   mouvement rapide de la paupière; **en un clin d'œil** en un temps très court

verdure *f*.   feuillage vert

dattier *m*.   palmier qui donne des dattes

zébu *m*.   espèce de bœuf

«*LIMAN, tu es le plus bel homme du monde!*
Ni en force, ni en richesse, ni en merveilles,
Dans tout le pays du Tchad, tu n'as d'égal.
Ton cœur est toute bravoure, toute générosité!
De tes qualités sublimes,   5
Pour te tresser une couronne immortelle,
La légende s'est déjà emparée.
Ah! que ne puis-je associer
A ton destin, mon cœur aimant!»

Flatté, séduit, Liman déposa aux pieds de la charmante prin- 10
cesse toutes les pièces d'argent qu'il avait. Pour émerveiller davantage la jeune fille, il lui raconta l'histoire de sa bourse
magique. Et, de nouveau Gada le fit endormir, arracha sa
bourse et le jeta dans la rue.

Liman rentra chez lui sans bonnet ni bourse. Sa bonne grand- 15
mère ne fut point alarmée; elle lui donna une petite canne:

«Voici, tout ce qui me reste pour toi. Cette canne possède
la vertu de te transporter d'un lieu à un autre, mais sois prudent.
Ne la remets à personne, sinon tu es perdu!» Liman prit la
canne et ne souhaita qu'une chose: être à côté de la belle Gada! 20
Aussitôt dit, aussitôt fait. Il se trouva dans le riche décor du
palais de Goulfei. La princesse était dans tout l'éclat de sa
splendide beauté. Le jeune homme ne put résister à son charme
ensorcelant; il lui confia son ultime secret. Gada le cajola tant
et si bien qu'elle lui prit la canne des mains et fit le vœu d'ex- 25
pédier Liman sur l'île maudite. Et, en un clin d'œil, l'armateur
se vit sur une île déserte qui demeure aujourd'hui encore in-
connue aux hommes. L'île maudite est une montagne deux mille
fois plus haute que toutes les montagnes de la terre réunies. A
ses pieds, baigne une mer sans limites. Sur sa cime qui se perd 30
dans les nues, il n'y a pour toute verdure que deux palmiers
dattiers.

Dans ce lieu d'extrême désolation Liman pleura plusieurs
jours. Un matin, il eut très faim. Aussi, alla-t-il cueillir quelques
dattes du premier palmier qui se trouva à sa portée. Mais, dès 35
qu'il en eut mangé, il s'aperçut qu'il avait sur la tête deux cornes
de zébu. Pris de désespoir, il regretta de n'avoir pas écouté le

tenailler   faire souffrir
coûte que coûte   à tout prix

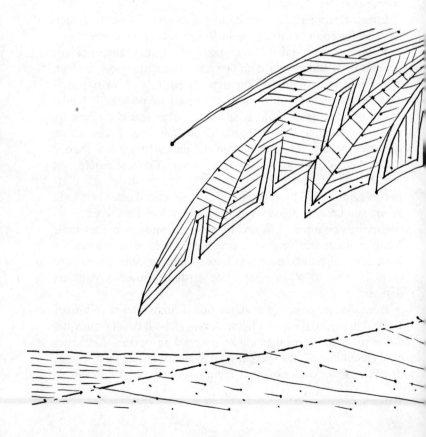

conseil de sa bonne grand-mère. Il se lamenta et se mit à maudire
la belle princesse. Des jours et des jours passèrent ainsi.
Tout espoir s'était évanoui pour Liman. Il était très fatigué; la
faim le tenaillait et il lui fallait manger coûte que coûte, s'il
voulait encore vivre. Alors, il alla cueillir les dattes du second 5
palmier. A peine en eut-il mangé, que ses cornes disparurent.
Miracle! L'antidote était trouvé. Liman mangea donc autant
de fruits à cornes et autant de fruits contraires. Ce soir-là, il
s'endormit profondément. Son sommeil fut néanmoins troublé
dans la nuit par une grande secousse qui fit trembler toute l'île 10
maudite. Il se réveilla brusquement et vit se mouvoir dans
l'ombre une masse étrange, aussi haute qu'une tour, qui secouait
frénétiquement les palmiers à l'aide de ses ailes. C'était un
monstre qui tenait à la fois de l'animal et de l'oiseau. Liman
prit très peur et se fit tout, tout petit pour se dissimuler. Mais, 15

pennage *m.*   plumage des oiseaux, se renouvelant à diverses époques
prendre son large essor   s'envoler
dégringoler   descendre précipitamment
chaume *m.*   paille qui couvre le toit d'une maison
chuchoter   parler bas
comble *m.*   sommet, maximum
vizir *m.*   ministre d'un prince musulman

dans sa frayeur, une lueur d'espérance traversa son esprit. Il lui
faut tenter la plus audacieuse des aventures. Très courageusement, il s'approcha du monstre et se glissa doucement sous son
pennage. Celui-ci n'en ressentit rien. Quelques instants après,
il prit son large essor. S'accrochant toujours plus fort, le jeune 5
homme regardait de temps à autre vers la terre. Le monstre
vola très longtemps. Vers le petit jour, Liman aperçut des
lueurs sur la terre; alors, il lâcha prise et dégringola dans le vide.
La providence, toujours généreuse, lui épargna une chute fatale.
Il tomba sur un toit de chaume. De la case qui allait s'écrouler 10
sous son poids, une vieille femme sortit et vit un homme à moitié
mort qu'elle reconnut sans hésiter. C'était son petit-fils. Toute
joyeuse, elle le prit et le ramena auprès du feu. La bonne grand-
mère soigna si bien Liman qu'il recouvra la santé en quelques
semaines. 15

Une fois bien vigoureux, le jeune homme se rappela avoir
ramené dans le pli de son pantalon plusieurs dattes des deux
espèces. Se déguisant alors en marchand ambulant, il alla crier
sa marchandise dans les rues. Comme les dattes étaient choses
rares à Goulfei, la princesse Gada, qui était aussi gourmande 20
que malicieuse, lui acheta toutes les dattes à cornes.

Le lendemain, un grand bruit se fit dans le pays. Tout le
monde, dans les rues et les maisons, se le chuchotait à l'oreille.
On parlait, on disait que le Sultan, son aide de camp, la reine
et la princesse avaient chacun sur la tête deux cornes de zébu. 25
La nouvelle se répandit comme une trainée de poudre, jetant
partout la consternation. Les sorciers les plus célèbres, les
féticheurs de renom, tous les savants des sciences occultes vinrent, comme dans une foire, rivaliser d'adresse et de talents.
Mais, toutes leurs connaissances réunies ne purent guérir ni le 30
roi, ni la reine, ni la princesse. Le désespoir était à son comble
quand se présenta le jeune Liman. Il promit au monarque de le
guérir; ce dernier lui promit solennellement de lui donner tout
ce qu'il désirait dans son royaume. Liman fit alors manger au roi
quelques dattes et, aussitôt ses cornes disparurent. La foule en 35
fut émerveillée. Il guérit de même le vizir et la reine. Quant à
la belle Gada, il lui dit: «Vous avez abusé de mon admiration
et de l'amour que je vous porte. Néanmoins je vous pardonne

incontinent   immédiatement
enlaidir   rendre laid
désormais   à partir de ce moment

tous les tours que vous m'avez joués parce que je vous aime toujours. Seulement, je ne vous libérerai de vos cornes qu'à une seule condition: me rendre ma bourse, mon bonnet et ma canne magique».

La princesse ne se fit guère prier; elle remit incontinent les 5 objets à son propriétaire. C'est ensuite que Liman donna les dattes qui lui restaient. Gada les mangea et les cornes qui l'enlaidissaient s'effacèrent.

Les spectateurs acclamèrent vivement le jeune armateur; le roi lui accorda immédiatement la main de sa fille. Il les unit 10 désormais pour la vie. Tout le pays célébra avec joie leurs noces. La belle princesse regretta beaucoup ses méchancetés et aima tendrement son mari. Ainsi, les deux époux filèrent des jours d'or et de soie dans le magnifique palais de Goulfei.

On dit encore aujourd'hui qu'ils continuent à s'aimer quelque 15 part dans notre vieux monde.

Exercices

A. Répondez aux questions suivantes:

1. Qui est le rival de Liman, le jeune armateur?
2. Décrivez la princesse Gada.
3. Comment le sultan accueille-t-il les cadeaux de Liman?
4. Pourquoi Liman se voit-il ruiné?
5. Que dit la vieille grand-mère?
6. Quel objet la grand-mère tire-t-elle du coffret?
7. Comment le jeune armateur perd-il cet objet?
8. Comment la grand-mère le console-t-elle?
9. Après avoir arraché le dernier secret, que fait la princesse pour punir le jeune Liman?
10. Où se trouve-t-il condamné à vivre?
11. Que fait Liman pour vaincre la faim?
12. Que voit-on pousser sur sa tête?
13. Quel est l'antidote?
14. Comment réagit-il devant le monstre?
15. Comment se venge-t-il de la princesse Gada?
16. Comment guérit-il le roi, la reine, et la princesse?
17. Quelle condition est imposée à la princesse?
18. Quelle décision prend la princesse?
19. Qui épouse la princesse?
20. Où habitent les nouveaux mariés?

B. Choisissez le verbe qui complétera la phrase:

tenir	jouir	confier
arracher	jeter	révéler
être	rivaliser	cueillir
tomber	solliciter	disparaître
s'approcher	guérir	se tirer
ôter	garder	faire
se glisser	s'écrouler	lâcher

1. Liman . . . d'une grande renommée.
2. Le jeune homme . . . avec le sultan de Goulfei.
3. Il . . . la main de la princesse.
4. Le sultan . . . les cadeaux du jeune armateur ruiné.
5. La vieille grand-mère lui . . . un bonnet magique.
6. A la vue de la princesse, Liman . . . le bonnet.
7. Liman . . . son secret à la princesse.
8. La princesse Gada lui . . . servir une boisson soporifique.
9. On le . . . par-dessus le mur du palais.
10. Tu . . . d'embarras avec cette bourse!
11. Elle lui . . . un mauvais tour.
12. Après . . . la bourse, elle le . . . dans la rue.
13. . . . prudent, sinon tu es perdu!
14. Très fatigué, Liman . . . les dattes.
15. Le monstre . . . à la fois de l'animal et de l'oiseau.
16. Très courageusement, Liman . . . du monstre.
17. Liman . . . sous le pennage du monstre.
18. Il . . . dans le vide.
19. Le jeune armateur . . . la famille royale.
20. Les cornes . . .

Statue, Baga tribe (Guinea)

Camara Laye
Guinée

enclume *f.*   bloc de fer sur lequel on forge les métaux
palissade *f.*   barrière
se dérober   fuir, s'échapper

15

L'Enfant Noir 1

Publié en 1953, ce roman purement descriptif et autobiographique est l'évocation d'une enfance en Haute-Guinée. Dans ce premier chapitre qui présente le culte du serpent mystérieux, le lecteur saisit, au delà des superstitions du village, la qualité humaine du peuple. Notons l'amour profond qui lie le père, voué à la tradition, à son fils, destiné à s'éloigner peu à peu de la forge paternelle.

J'étais enfant et je jouais près de la case de mon père. Quel âge avais-je en ce temps-là? Je ne me rappelle pas exactement. Je devais être très jeune encore: cinq ans, six ans peut-être. Ma mère était dans l'atelier, près de mon père, et leurs voix me parvenaient, rassurantes, tranquilles, mêlées à 5 celles des clients de la forge et au bruit de l'enclume.

Brusquement j'avais cessé de jouer, l'attention, toute mon attention, captée par un serpent qui rampait autour de la case, qui vraiment paraissait se promener autour de la case; et je m'étais bientôt approché. J'avais ramassé un roseau qui traî- 10 nait dans la cour — il en traînait toujours, qui se détachaient de la palissade de roseaux tressés qui enclôt notre concession — et, à présent, j'enfonçais ce roseau dans la gueule de la bête. Le serpent ne se dérobait pas: il prenait goût au jeu; il avalait lentement le roseau, il l'avalait comme une proie, avec la même 15 volupté, me semblait-il, les yeux brillants de bonheur, et sa

161

engloutir dévorer
inopinément (adv.)   de façon imprévu, inattendu

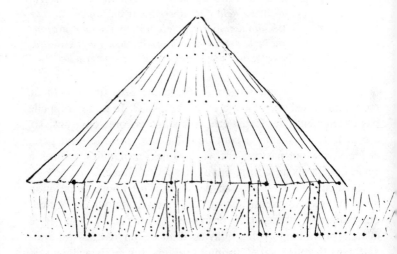

tête, petit à petit, se rapprochait de ma main. Il vint un moment
où le roseau se trouva à peu près englouti, et où la gueule du
serpent se trouva terriblement proche de mes doigts.

Je riais, je n'avais pas peur du tout, et je crois bien que le
serpent n'eût plus beaucoup tardé à m'enfoncer ses crochets 5
dans les doigts si, à l'instant, Damany, l'un des apprentis, ne
fût sorti de l'atelier. L'apprenti fit signe à mon père, et presque
aussitôt je me sentis soulevé de terre: j'étais dans les bras d'un
ami de mon père!

Autour de moi, on menait grand bruit; ma mère surtout criait 10
fort et elle me donna quelques claques. Je me mis à pleurer,
plus ému par le tumulte qui s'était si inopinément élevé que par
les claques que j'avais reçues. Un peu plus tard, quand je me fus
un peu calmé et qu'autour de moi les cris eurent cessé, j'entendis
ma mère m'avertir sévèrement de ne plus jamais recommencer 15
un tel jeu; je le lui promis, bien que le danger de mon jeu ne
m'apparût pas clairement.

jour avare *m.*   ici, une faible lumière

natte *f.*   tapis fait de paille

osier *m.*   arbre qui pousse dans les lieux frais et humides. Le rameau de l'osier fournit des fibres pour la fabrication des corbeilles et des paniers.

oreiller *m.*   coussin qui sert à soutenir la tête

kapok *m.*   fibre végétale très légère

surplomber   ici, être placé au-dessus de

tôle *f.*   feuille ou plaque métallique

chapelet *m.*   objet de piété formé de grains enfilés que l'on fait glisser entre les doigts en récitant des prières

cauris *m.*   coquillage utilisé pour ses propriétés magiques et pour embellir; souvent attaché aux sculptures et aux masques africains

gri-gri *m.*   amulette que le sorcier africain vend ou donne à quelqu'un pour conjurer le mauvais sort. On le porte sur soi comme protection contre le danger et la maladie.

enduire   recouvrir une surface d'une préparation semi-fluide

encore que   bien que, quoique

Mon père avait sa case à proximité de l'atelier, et souvent je jouais là, sous la véranda qui l'entourait. C'était la case personnelle de mon père. Elle était faite de briques en terre battue et pétrie avec de l'eau; et comme toutes nos cases, ronde et fièrement coiffée de chaume. On y pénétrait par une porte rec- 5 tangulaire. A l'intérieur, un jour avare tombait d'une petite fenêtre. A droite, il y avait le lit, en terre battue comme les briques, garni d'une simple natte en osier tressé et d'un oreiller bourré de kapok. Au fond de la case et tout juste sous la petite fenêtre, là où la clarté était la meilleure, se trouvaient les caisses 10 à outils. A gauche, les boubous et les peaux de prière. Enfin, à la tête du lit, surplombant l'oreiller et veillant sur le sommeil de mon père, il y avait une série de marmites contenant des extraits de plantes et d'écorces. Ces marmites avaient toutes des couvercles de tôle et elles étaient richement et curieusement cerclées 15 de chapelets de cauris; on avait tôt fait de comprendre qu'elles étaient ce qu'il y avait de plus important dans la case; de fait, elles contenaient les gris-gris, ces liquides mystérieux qui éloignent les mauvais esprits et qui, pour peu qu'on s'en enduise le corps, le rendent invulnérable aux maléfices, à tous les maléfices. 20 Mon père, avant de se coucher, ne manquait jamais de s'enduire le corps, puisant ici, puisant là, car chaque liquide, chaque grigri a sa propriété particulière; mais quelle vertu précise? je l'ignore: j'ai quitté mon père trop tôt.

De la véranda sous laquelle je jouais, j'avais directement vue 25 sur l'atelier, et en retour on avait directement l'œil sur moi. Cet atelier était la maîtresse pièce de notre concession. Mon père s'y tenait généralement, dirigeant le travail, forgeant lui-même les pièces principales ou réparant les mécaniques délicates; il y recevait amis et clients; et si bien qu'il venait de cet atelier un 30 bruit qui commençait avec le jour et ne cessait qu'à la nuit. Chacun, au surplus, qui entrait dans notre concession ou qui en sortait, devait traverser l'atelier; d'où un va-et-vient perpétuel, encore que personne ne parût particulièrement pressé, encore que chacun eût son mot à dire et s'attardât volontiers à suivre 35 des yeux le travail de la forge. Parfois je m'approchais, attiré par la lueur du foyer, mais j'entrais rarement, car tout ce monde m'intimidait fort, et je me sauvais dès qu'on cherchait à se saisir

s'accroupir   s'asseoir sur ses talons
vernissé (adj.)   qui brille comme un objet verni
entêtant (adj.)   en parlant des odeurs, qui fait mal à la tête
au fur et à mesure   successivement
prodigalité *f.*   grosse dépense
gré *m.*   volonté
flammèche *f.*   parcelle de matière enflammée

de moi. Mon domaine n'était pas encore là; ce n'est que beaucoup plus tard que j'ai pris l'habitude de m'accroupir dans l'atelier et de regarder briller le feu de la forge.

Mon domaine, en ce temps-là, c'était la véranda qui entourait
la case de mon père, c'était la case de ma mère, c'était l'oranger 5
planté au centre de la concession.

Sitôt qu'on avait traversé l'atelier et franchi la porte du fond,
on apercevait l'oranger. L'arbre, si je le compare aux géants de
nos forêts, n'était pas très grand, mais il tombait de sa masse
de feuilles vernissées une ombre compacte, qui éloignait la 10
chaleur. Quand il fleurissait, une odeur entêtante se répandait
sur toute la concession. Quand apparaissaient les fruits, il nous
était tout juste permis de les regarder: nous devions attendre
patiemment qu'ils fussent mûrs. Mon père alors, qui, en tant que
chef de famille — et chef d'une innombrable famille — gouver- 15
nait la concession, donnait l'ordre de les cueillir. Les hommes
qui faisaient cette cueillette apportaient au fur et à mesure les
paniers à mon père, et celui-ci les répartissait entre les habitants
de la concession, ses voisins et ses clients; après quoi il nous
était permis de puiser dans les paniers, et à discrétion! Mon 20
père donnait facilement et même avec prodigalité: quiconque se
présentait partageait nos repas, et comme je ne mangeais guère
aussi vite que ces invités, j'eusse risqué de demeurer éternelle-
ment sur ma faim si ma mère n'eût pris la précaution de réserver
ma part. 25

— Mets-toi ici, me disait-elle, et mange, car ton père est fou.

Elle ne voyait pas d'un trop bon œil ces invités, un peu trop
nombreux à son gré, un peu pressés de puiser dans le plat. Mon
père, lui, mangeait fort peu: il était d'une extrême sobriété.

Nous habitions en bordure du chemin de fer. Les trains lon- 30
geaient la barrière de roseaux tressés qui limitait la concession,
et la longeaient à vrai dire de si près que des flammèches, échap-
pées de la locomotive, mettaient parfois le feu à la clôture; et
il fallait se hâter d'éteindre ce début d'incendie, si on ne voulait
pas voir tout flamber. Ces alertes un peu effrayantes, un peu 35
divertissantes, appelaient mon attention sur le passage des trains;
et même quand il n'y avait pas de trains — car le passage des
trains, à cette époque, dépendait tout entier encore du trafic

tamiser   ici, adoucir, modérer

ballast *m.*   pierres écrasées qui maintiennent les traverses d'une voie ferrée

four *m.*   appareil utilisé pour faire cuire les repas

s'acharner   poursuivre violemment, attaquer

assené (adj.)   appliqué, infligé

ébahissement *m.*   étonnement extrême

étinceler   briller, jeter des feux lumineux

fluvial, et c'était un trafic des plus irréguliers — j'allais passer de longs moments dans la contemplation de la voie ferrée. Les rails luisaient cruellement dans une lumière que rien, à cet endroit, ne venait tamiser. Chauffé dès l'aube, le ballast de pierres rouges était brûlant; il l'était au point que l'huile, tombée des locomotives, était aussitôt bue et qu'il n'en demeurait seulement pas trace. Est-ce cette chaleur de four ou est-ce l'huile, l'odeur d'huile qui malgré tout subsistait, qui attirait les serpents? Je ne sais pas. Le fait est que souvent je surprenais des serpents à ramper sur ce ballast cuit et recuit par le soleil; et il arrivait fatalement que les serpents pénétrassent dans la concession.

Depuis qu'on m'avait défendu de jouer avec les serpents, sitôt que j'en apercevais un, j'accourais chez ma mère.

— Il y a un serpent! criais-je.

— Encore un! s'écriait ma mère.

Et elle venait voir quelle sorte de serpent c'était. Si c'était un serpent comme tous les serpents — en fait, ils différaient fort! — elle le tuait aussitôt à coups de bâton, et elle s'acharnait, commes toutes les femmes de chez nous, jusqu'à le réduire en bouillie, tandis que les hommes, eux, se contentent d'un coup sec, nettement assené.

Un jour pourtant, je remarquai un petit serpent noir au corps particulièrement brillant, qui se dirigeait sans hâte vers l'atelier. Je courus avertir ma mère, comme j'en avais pris l'habitude; mais ma mère n'eut pas plus tôt aperçu le serpent noir qu'elle me dit gravement:

— Celui-ci, mon enfant, il ne faut pas le tuer: ce serpent n'est pas un serpent comme les autres, il ne te fera aucun mal; néanmoins ne contrarie jamais sa course.

Personne, dans notre concession, n'ignorait que ce serpent-là, on ne devait pas le tuer, sauf moi, sauf mes petits compagnons de jeu, je présume, qui étions encore des enfants naïfs.

— Ce serpent, ajouta ma mère, est le génie de ton père.

Je considérai le petit serpent avec ébahissement. Il poursuivait sa route vers l'atelier; il avançait gracieusement, très sûr de lui, eût-on dit, et comme conscient de son immunité; son corps éclatant et noir étincelait dans la lumière crue. Quand il fut

au ras du sol   au niveau du sol
paroi *f*.   mur qui sépare une pièce d'une autre
débattre   discuter, examiner avec une ou plusieurs personnes

parvenu à l'atelier, j'avisai pour la première fois qu'il y avait là, ménagé au ras du sol, un trou dans la paroi.

Le serpent disparut par ce trou.

— Tu vois: le serpent va faire visite à ton père, dit encore ma mère.   5

Bien que le merveilleux me fût familier, je demeurai muet tant mon étonnement était grand. Qu'est-ce qu'un serpent avait à faire avec mon père? Et pourquoi ce serpent-là précisément? On ne le tuait pas, parce qu'il était le génie de mon père! Du moins était-ce la raison que ma mère donnait. Mais au juste 10 qu'était-ce qu'un génie? Qu'étaient ces génies que je rencontrais un peu partout, qui défendaient telle chose, commandaient telle autre? Je ne me l'expliquais pas clairement, encore que je n'eusse cessé de croître dans leur intimité. Il y avait de bons génies, et il y en avait de mauvais; et plus de mauvais que de 15 bons, il me semble. Et d'abord qu'est-ce qui me prouvait que ce serpent était inoffensif? C'était un serpent comme les autres; un serpent noir, sans doute, et assurément un serpent d'un éclat extraordinaire; un serpent tout de même! J'étais dans une absolue perplexité, pourtant je ne demandai rien à ma mère: je 20 pensais qu'il me fallait interroger directement mon père; oui, comme si ce mystère eût été une affaire à débattre entre hommes uniquement, une affaire et un mystère qui ne regardent pas les femmes; et je décidai d'attendre la nuit.

Exercices

A. Répondez aux questions suivantes:

1. Quel est le métier du père?
2. Pourquoi la mère crie-t-elle si fort?
3. Pourriez-vous décrire la case du père?
4. Qu'est-ce que c'est qu'un gri-gri?
5. Le petit garçon joue-t-il dans l'atelier de son père?
6. Quel grand arbre se trouve au centre de la concession?
7. Qui donne l'ordre de cueillir des fruits? Pourquoi?
8. Qu'est-ce qui attire les serpents qui pénètrent dans la concession?
9. Pourquoi le serpent noir est-il protégé par les villageois?
10. Qui pourrait répondre à la question mystérieuse du serpent noir?

B. Remplissez les phrases:

d'abord	près de
au juste	en bordure de
jusque	aussitôt
à proximité de	au ras de
autour de	au fond de
proche	

1. Je jouais . . . la case.
2. J'ai vu un serpent qui rampait . . . la case.
3. La gueule du serpent se trouva toute . . . de mes doigts.
4. Mon père avait sa case . . . l'atelier.
5. Les caisses à outils se trouvaient . . . la case.
6. Mais . . . qu'était-ce qu'un génie?
7. Mes parents habitaient . . . chemin de fer.
8. Il y avait . . . sol, un petit trou dans le mur.
9. . . . le serpent trouvé, on s'acharne sur lui,
10. . . . à le tuer.

palabre *f.* ou *m.*   discussion, conversation
à tort et à travers   sans raison ni justice
comprisse (imp. du subj. de **comprendre**)

16
L'Enfant Noir 1
Suite

Sitôt après le repas du soir, quand, les palabres terminées, mon père eut pris congé de ses amis et se fut retiré sous la véranda de sa case, je me rendis près de lui. Je commençai par le questionner à tort et à travers, comme font les enfants, et sur tous les sujets qui s'offraient à mon esprit; dans 5. le fait, je n'agissais pas autrement que les autres soirs; mais, ce soir-là, je le faisais pour dissimuler ce qui m'occupait, cherchant l'instant favorable où, mine de rien, je poserais la question qui me tenait si fort à cœur, depuis que j'avais vu le serpent noir se diriger vers l'atelier.   10

Et tout à coup, n'y tenant plus, je dis:

— Père, quel est ce petit serpent qui te fait visite?

— De quel serpent parles-tu?

— Eh bien! du petit serpent noir que ma mère me défend de tuer.   15

— Ah! fit-il.

Il me regarda un long moment. Il paraissait hésiter à me répondre. Sans doute se demandait-il s'il n'était pas un peu tôt pour confier ce secret à un enfant de douze ans. Puis subitement il se décida.   20

— Ce serpent, dit-il, est le génie de notre race. Comprends-tu?

— Oui, dis-je, bien que je ne comprisse pas très bien.

— Ce serpent, poursuivit-il, est toujours présent, toujours il apparaît à l'un de nous. Dans notre génération, c'est à moi qu'il s'est présenté.   25

— Oui, dis-je.

accueil *m.*   réception que l'on fait à quelqu'un
bonnement   simplement

Et je l'avais dit avec force, car il me paraissait évident que le serpent n'avait pu se présenter qu'à mon père. N'était-ce pas lui qui commandait tous les forgerons de la région? N'était-il pas le plus habile? Enfin n'était-il pas mon père?

— Comment s'est-il présenté? dis-je.   5

— Il s'est d'abord présenté sous forme de rêve. Plusieurs fois, il m'est apparu et il me disait le jour où il se présenterait réellement à moi, il précisait l'heure et l'endroit. Mais moi, la première fois que je le vis réellement, je pris peur. Je le tenais pour un serpent comme les autres et je dus me contenir pour ne 10 pas le tuer. Quand il s'aperçut que je ne lui faisais aucun accueil, il se détourna et repartit par où il était venu. Et moi, je le regardais s'en aller, et je continuais de me demander si je n'aurais pas dû bonnement le tuer, mais une force plus puissante que ma volonté me retenait et m'empêchait de le pour- 15 suivre. Je le regardai disparaître. Et même à ce moment, à ce moment encore, j'aurais pu facilement le rattraper: il eût suffi de quelques enjambées; mais une sorte de paralysie m'immobilisait. Telle fut ma première rencontre avec le petit serpent noir.

Il se tut un moment, puis reprit: 20

— La nuit suivante, je revis le serpent en rêve. «Je suis venu comme je t'en avais averti, dit-il, et toi, tu ne m'as fait nul accueil; et même je te voyais sur le point de me faire mauvais accueil: je lisais dans tes yeux. Pourquoi me repousses-tu? Je suis le génie de ta race, et c'est en tant que génie de ta race que 25 je me présente à toi comme au plus digne. Cesse donc de me craindre et prends garde de me repousser, car je t'apporte le succès.» Dès lors, j'accueillis le serpent quand, pour la seconde fois, il se présenta; je l'accueillis sans crainte, je l'accueillis avec amitié, et lui ne me fit jamais que du bien.   30

Mon père se tut encore un moment, puis il dit:

— Tu vois bien toi-même que je ne suis pas plus capable qu'un autre, que je n'ai rien de plus que les autres, et même que j'ai moins que les autres puisque je donne tout, puisque je donnerais jusqu'à ma dernière chemise. Pourtant je suis plus connu 35 que les autres, et mon nom est dans toutes les bouches, et c'est moi qui règne sur tous les forgerons des cinq cantons du cercle. S'il en est ainsi, c'est par la grâce seule de ce serpent, génie de

panne *f.*   arrêt accidentel d'une machine quelconque
d'emblée   du premier coup
aîné *m.*   premier-né
comportement *m.*   façon de se conduire
lampe-tempête *f.*   lampe dont la flamme est protégée du vent
crûment (adv.)   brutalment

notre race. C'est à ce serpent que je dois tout, et c'est lui aussi qui m'avertit de tout. Ainsi je ne m'étonne point, à mon réveil, de voir tel ou tel m'attendant devant l'atelier: je sais que tel ou tel sera là. Je ne m'étonne pas davantage de voir se produire telle ou telle panne de moto ou de vélo, ou tel accident d'horlo- 5
gerie: d'avance je savais ce qui surviendrait. Tout m'a été dicté au cours de la nuit et, par la même occasion, tout le travail que j'aurais à faire, si bien que, d'emblée, sans avoir à y réfléchir, je sais comment je remédierai à ce qu'on me présente; et c'est cela qui a établi ma renommée d'artisan. Mais, dis-le-toi bien, 10
tout cela, je le dois au serpent, je le dois au génie de notre race.

Il se tut, et je sus alors pourquoi, quand mon père revenait de promenade et entrait dans l'atelier, il pouvait dire aux apprentis: «En mon absence, un tel ou un tel est venu, il était vêtu de telle façon, il venait de tel endroit et il apportait tel travail.» Et tous 15
s'émerveillaient fort de cet étrange savoir. A présent, je comprenais d'où mon père tirait sa connaissance des événements. Quand je relevai les yeux, je vis que mon père m'observait.

— Je t'ai dit tout cela, petit, parce que tu es mon fils, l'aîné de mes fils, et que je n'ai rien à te cacher. Il y a une manière de 20
conduite à tenir et certaines façons d'agir, pour qu'un jour le génie de notre race se dirige vers toi aussi. J'étais, moi, dans cette ligne de conduite qui détermine notre génie à nous visiter; oh! inconsciemment peut-être, mais toujours est-il que si tu veux que le génie de notre race te visite un jour, si tu veux en hériter 25
à ton tour, il faudra que tu adoptes ce même comportement; il faudra désormais que tu me fréquentes davantage.

Il me regardait avec passion et, brusquement, il soupira.

— J'ai peur, j'ai bien peur, petit, que tu ne me fréquentes jamais assez. Tu vas à l'école et, un jour, tu quitteras cette école 30
pour une plus grande. Tu me quitteras, petit...

Et de nouveau il soupira. Je voyais qu'il avait le cœur lourd. La lampe-tempête, suspendue à la véranda, l'éclairait crûment. Il me parut soudain comme vieilli.

— Père! m'écriai-je. 35
— Fils..., dit-il à mi-voix.

Et je ne savais plus si je devais continuer d'aller à l'école ou si je devais demeurer dans l'atelier: j'étais dans un trouble inexprimable.

179

scintiller   briller
hibou *m.*   oiseau nocturne et vorace
ululer   crier, en parlant des oiseaux de nuit
désarroi *m.*   confusion
avoir beau   s'efforcer en vain
contraindre   forcer quelqu'un à agir contre sa volonté
à portée   jusqu'où la main peut arriver

— Va, maintenant, dit mon père.

Je me levai et me dirigeai vers la case de ma mère. La nuit
scintillait d'étoiles, la nuit était un champ d'étoiles; un hibou
ululait, tout proche. Ah! où était ma voie? Savais-je encore où
était ma voie? Mon désarroi était à l'image du ciel: sans limites; 5
mais ce ciel, hélas! était sans étoiles... J'entrai dans la case de
ma mère, qui était alors la mienne, et me couchai aussitôt. Le
sommeil pourtant me fuyait, et je m'agitais sur ma couche.

— Qu'as-tu? dit ma mère.

— Rien, dis-je. 10

Non, je n'avais rien que je pusse communiquer.

— Pourquoi ne dors-tu pas? reprit ma mère.

— Je ne sais pas.

— Dors! dit-elle.

— Oui, dis-je. 15

— Le sommeil... Rien ne résiste au sommeil, dit-elle tristement.

Pourquoi, elle aussi, paraissait-elle triste? Avait-elle senti
mon désarroi? Elle ressentait fortement tout ce qui m'agitait.
Je cherchai le sommeil, mais j'eus beau fermer les yeux et me 20
contraindre à l'immobilité, l'image de mon père sous la lampe-
tempête ne me quittait pas: mon père qui m'avait paru brusquement si vieilli, lui qui était si jeune, si alerte, plus jeune et plus
vif que nous tous et qui ne se laissait distancer par personne à
la course, qui avait des jambes plus rapides que nos jeunes 25
jambes... «Père!... Père!... me répétais-je. Père, que dois-je
faire pour bien faire?...» Et je pleurais silencieusement, je m'endormis en pleurant.

Par la suite, il ne fut plus question entre nous du petit serpent
noir: mon père m'en avait parlé pour la première et la dernière 30
fois. Mais, dès lors, sitôt que j'apercevais le petit serpent, je
courais m'asseoir dans l'atelier. Je regardais le serpent se glisser
par le trou de la paroi. Comme averti de sa présence, mon père
à l'instant tournait le regard vers la paroi et souriait. Le serpent
se dirigeait droit sur lui en ouvrant la gueule. Quand il était à 35
portée, mon père le caressait avec la main, et le serpent acceptait
sa caresse par un frémissement de tout le corps; jamais je ne vis
le petit serpent tenter de lui faire le moindre mal. Cette caresse

frémissement *m.*   agitation, tremblement
lover   enrouler en spirale

et le frémissement qui y répondait — mais je devrais dire: cette
caresse qui appelait et le frémissement qui y répondait — me
jetaient chaque fois dans une inexprimable confusion: je pensais
à je ne sais quelle mystérieuse conversation; la main interrogeait,
le frémissement répondait...   5

Oui, c'était comme une conversation. Est-ce que moi aussi,
un jour, je converserais de cette sorte? Mais non: je continuais
d'aller à l'école! Pourtant j'aurais voulu, j'aurais tant voulu
poser à mon tour ma main sur le serpent, comprendre, écouter à
mon tour ce frémissement, mais j'ignorais comment le serpent 10
eût accueilli ma main et je ne pensais pas qu'il eût maintenant
rien à me confier jamais...

Quand mon père jugeait qu'il avait assez caressé le petit animal, il le laissait; le serpent alors se lovait sous un des bords de
la peau de mouton sur laquelle mon père était assis, face à son 15
enclume.

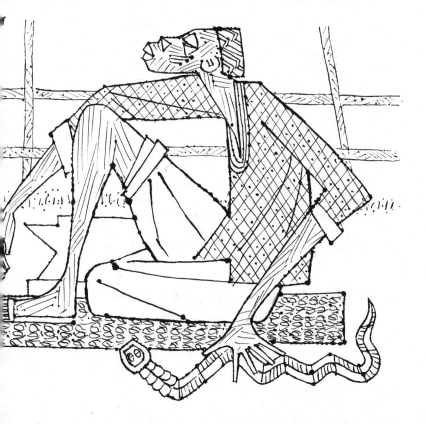

Exercices

A. Répondez aux questions suivantes:

1. Quelle question le petit garçon voudrait-il poser?
2. Quelle est la réponse du père?
3. Comment le serpent s'est-il présenté au père?
4. Comment le père a-t-il accueilli le serpent?
5. Pourquoi est-il plus connu que les autres forgerons?
6. Comment sait-il tout ce qui surviendra?
7. Pourquoi a-t-il tout révélé à son fils?
8. De quoi a-t-il peur?
9. D'où provient le désarroi du petit garçon?
10. Pourquoi n'a-t-il rien révélé à sa mère?
11. Comprendra-t-elle la détresse de son fils?
12. Décrivez la conversation entre le père et le serpent.
13. Quand le serpent se retire où se cache-t-il?
14. Le fils caresse-t-il le serpent?
15. Le serpent figurera-t-il dans le destin du garçon?

B. En classe: deux thèmes à dégager et à discuter

1. Les rapports entre le père et le fils
2. Les paroles du serpent, «Je suis le génie de ta race...»

doigté *m.*   adresse, habilité
emboîter le pas   marcher juste derrière quelqu'un
placer *m.*   gisement d'or

17

L'Enfant Noir 2

*Nous continuons à pénétrer les mystères du village.
Selon la tradition du peuple, la transformation de
l'or s'opère uniquement avec la participation des
génies de la forge. Bien qu'il ne prononce pas de
paroles, le forgeron remue ses lèvres pour invoquer
les génies puissants.*

De tous les travaux que mon père exécutait
dans l'atelier, il n'y en avait point qui me passionnât davantage
que celui de l'or; il n'y en avait pas non plus de plus noble ni qui
requît plus de doigté; et puis ce travail était chaque fois comme
une fête, c'était une vraie fête, qui interrompait la monotonie des 5
jours.

Aussi suffisait-il qu'une femme, accompagnée d'un griot,
poussât la porte de l'atelier, je lui emboîtais le pas aussitôt. Je
savais très bien ce que la femme voulait: elle apportait de l'or
et elle venait demander à mon père de le transformer en bijou. 10
Cet or, la femme l'avait recueilli dans les placers de Siguiri où,
plusieurs mois de suite, elle était demeurée courbée sur les ri-
vières, lavant la terre, détachant patiemment de la boue la
poudre d'or.

Ces femmes ne venaient jamais seules: elles se doutaient bien 15
que mon père n'avait pas que ses travaux de bijoutier; et même
n'eût-il que de tels travaux, elles ne pouvaient ignorer qu'elles
ne seraient ni les premières à se présenter, ni par conséquent les

Ramadan *m.*   fête musulmane. Le neuvième mois de l'année lunaire musulmane est consacré au jeûne; ils ne mangent ni ne boivent entre le lever et le coucher du soleil.

Tabaski *f.*   fête musulmane. Chaque famille sacrifie un mouton.

louangeur *m.*   celui qui loue quelqu'un pour ses mérites

cora *f.*   instrument de musique à cordes que l'on pince des deux mains comme une harpe

dévider   dérouler

truffer   remplir

aigrelette (adj.)   un peu aigre, sèche

griser   exalter

rejaillir   retomber

premières à être servies. Or, le plus souvent, elles avaient besoin du bijou pour une date fixe, soit pour la fête du Ramadan, soit pour la Tabaski ou pour toute autre cérémonie de famille ou de danse.

Dès lors, pour aider leur chance d'être rapidement servies, 5 pour obtenir de mon père qu'il interrompît en leur faveur les travaux en cours, elles s'adressaient à un solliciteur et louangeur officiel, un griot, convenant avec lui du prix auquel il leur vendrait ses bons offices.

Le griot s'installait, préludait sur sa cora, qui est notre harpe, 10 et commençait à chanter les louanges de mon père. Pour moi, ce chant était toujours un grand moment. J'entendais rappeler les hauts faits des ancêtres de mon père, et ces ancêtres eux-mêmes dans l'ordre du temps; à mesure que les couplets se dévidaient, c'était comme un grand arbre généalogique qui se dres- 15 sait, qui poussait ses branches ici et là, qui s'étalait avec ses cent rameaux et ramilles devant mon esprit. La harpe soutenait cette vaste nomenclature, la truffait et la coupait de notes tantôt sourdes, tantôt aigrelettes.

Où le griot puisait-il ce savoir? Dans une mémoire particu- 20 lièrement exercée assurément, particulièrement nourrie aussi par ses prédécesseurs, et qui est le fondement de notre tradition orale. Y ajoutait-il? C'est possible: c'est métier de griot que de flatter! Il ne devait pourtant pas beaucoup malmener la tradition, car c'est métier de griot aussi de la maintenir intacte. 25 Mais il m'importait peu en ce temps, et je levais haut la tête, grisé par tant de louanges, dont il semblait rejaillir quelque chose sur ma petite personne. Et si je dirigeais le regard sur mon père, je voyais bien qu'une fierté semblable alors l'emplissait, je voyais bien que son amour-propre était grisé, et je savais déjà 30 qu'après avoir savouré ce lait il accueillerait favorablement la demande de la femme. Mais je n'étais pas seul à le savoir: la femme aussi avait vu les yeux de mon père luire d'orgueil; elle tendait sa poudre d'or comme pour une affaire entendue et mon père prenait ses balances, pesait l'or. 35

— Quelle sorte de bijou veux-tu? disait-il.

— Je veux...

Et il arrivait que la femme ne sût plus au juste ce qu'elle

tirailler   tirer

fringale *f.*   faim subite et pressante

se parer   s'embellir

terre glaise   terre grasse, compacte et plastique

dûment (adv.)   selon les formes prescrites

entamé   commencé

soufflet *m.*   instrument qui sert à souffler

conduit *m.*   canal étroit, tuyau par lequel s'écoule un liquide

branloire *f.*   partie du soufflet

voulait parce que son désir la tiraillait ici, la tiraillait là, parce qu'en vérité elle aurait voulu tous les bijoux à la fois; mais il aurait fallu un bien autre tas d'or que celui qu'elle avait apporté pour satisfaire une telle fringale, et il ne restait dès lors qu'à s'en tenir au possible. 5

— Pour quand le veux-tu? disait mon père.

Et toujours c'était pour une date très proche.

— Ah! tu es si pressée que ça? Mais où veux-tu que je prenne le temps!

— Je suis très pressée, je t'assure! disait la femme. 10

— Jamais je n'ai vu femme désireuse de se parer qui ne le fût pas! Bon! je vais m'arranger pour te satisfaire. Es-tu contente?

Il prenait la marmite en terre glaise réservée à la fusion de l'or et y versait la poudre; puis il recouvrait l'or avec du charbon 15 de bois pulvérisé, un charbon qu'on obtenait par l'emploi d'essences spécialement dures; enfin il posait sur le tout un gros morceau de charbon du même bois. Alors, voyant le travail dûment entamé, la femme retournait à ses occupations, rassurée, pleinement rassurée cette fois, laissant à son griot le soin de 20 poursuivre des louanges dont elle avait tiré déjà si bon profit.

Sur un signe de mon père, les apprentis mettaient en mouvement les deux soufflets en peau de mouton, posés à même le sol de part et d'autre de la forge et reliés à celle-ci par des conduits de terre. Ces apprentis se tenaient constamment assis, les 25 jambes croisées, devant les soufflets; le plus jeune des deux tout au moins, car l'aîné était parfois admis à partager le travail des ouvriers, mais le plus jeune — c'était Sidafa, en ce temps-là — ne faisait que souffler et qu'observer, en attendant d'être à son tour élevé à des travaux moins rudimentaires. Pour l'heure, l'un 30 et l'autre pesaient avec force sur les branloires, et la flamme de la forge se dressait, devenait une chose vivante, un génie vif et impitoyable.

Mon père alors, avec ses pinces longues, saisissait la marmite et la posait sur la flamme. 35

Du coup, tout travail cessait quasiment dans l'atelier: on ne doit en effet, durant tout le temps que l'or fond, puis refroidit, travailler ni le cuivre ni l'aluminium à proximité, de crainte qu'il ne vînt à tomber dans le récipient quelque parcelle de ces métaux

carrément sans détours, tout simplement

halètement *m.* à bout de souffle, respiration anormalement précipitée

malaxer remuer ensemble

incantation *f.* formule magique, prière

tuyère *f.* tuyau

sans noblesse. Seul l'acier peut encore être travaillé. Mais les ouvriers qui avaient un ouvrage d'acier en train ou se hâtaient de l'achever, ou l'abandonnaient carrément pour rejoindre les apprentis rassemblés autour de la forge. En vérité, ils étaient chaque fois si nombreux à se presser alors autour de mon père, que je devais, moi qui étais le plus petit, me lever et me rapprocher pour ne pas perdre la suite de l'opération.

Il arrivait aussi que, gêné dans ses mouvements, mon père fît reculer les apprentis. Il le faisait d'un simple geste de la main: jamais il ne disait mot à ce moment, et personne ne disait mot, personne ne devait dire mot, le griot même cessait d'élever la voix; le silence n'était interrompu que par le halètement des soufflets et le léger sifflement de l'or. Mais si mon père ne prononçait pas de paroles, je sais bien qu'intérieurement il en formait; je l'apercevais à ses lèvres qui remuaient tandis que, penché sur la marmite, il malaxait l'or et le charbon avec un bout de bois, d'ailleurs aussitôt enflammé et qu'il fallait sans cesse renouveler.

Quelles paroles mon père pouvait-il bien former? Je ne sais pas; je ne sais pas exactement: rien ne m'a été communiqué de ces paroles. Mais qu'eussent-elles été, sinon des incantations? N'était-ce pas les génies du feu et de l'or, du feu et du vent, du vent soufflé par les tuyères, du feu né du vent, de l'or marié avec le feu, qu'il invoquait alors? N'était-ce pas leur aide et leur amitié, et leurs épousailles qu'il appelait? Oui, ces génies-là presque certainement, qui sont parmi les fondamentaux et qui étaient également nécessaires à la fusion.

Exercices

A. Répondez aux questions suivantes:

1. De tous les travaux du père, lequel le petit garçon préfère-t-il?
2. Qui accompagne la femme à l'atelier?
3. Pourquoi la femme est-elle venue?
4. De quel instrument de musique le griot joue-t-il?
5. Comment le père accueille-t-il la demande de la femme?
6. Comment le père commence-t-il le travail?
7. Que font les apprentis pendant cette opération?
8. Pourquoi le travail cesse-t-il durant tout le temps que l'or fond?
9. Pourquoi le père remue-t-il les lèvres?
10. A qui parle-t-il?

B. Faites une phrase pour chaque mot de vocabulaire

1. le génie
2. malaxer
3. la forge
4. la tradition
5. la fusion

soupçonner deviner

j'eusse crié (plus-que-parfait du subjonctif de **crier**)

tressaillir trembler

bouder être fâché, montrer du mécontentement

karité «l'arbre à beurre» qui se trouve en Afrique. Le «beurre de
karité» est la substance grasse renfermée dans la graine.

18
L'Enfant Noir 2
Suite

L'opération qui se poursuivait sous mes yeux n'était une simple fusion d'or qu'en apparence; c'était une fusion d'or, assurément c'était cela, mais c'était bien autre chose encore: une opération magique que les génies pouvaient accorder ou refuser; et c'est pourquoi, autour de mon père, il y avait ce silence absolu et cette attente anxieuse. Et parce qu'il y avait ce silence et cette attente, je comprenais, bien que je ne fusse qu'un enfant, qu'il n'y a point de travail qui dépasse celui de l'or. J'attendais une fête, j'étais venu assister à une fête, et c'en était très réellement une, mais qui avait des prolongements. Ces prolongements, je ne les comprenais pas tous, je n'avais pas l'âge de les comprendre tous; néanmoins je les soupçonnais en considérant l'attention comme religieuse que tous mettaient à observer la marche du mélange dans la marmite.

Quand enfin l'or entrait en fusion, j'eusse crié, et peut-être eussions-nous tous crié, si l'interdit ne nous eût défendu d'élever la voix; je tressaillais, et tous sûrement tressaillaient en regardant mon père remuer la pâte encore lourde, où le charbon de bois achevait de se consumer. La seconde fusion suivait rapidement; l'or à présent avait la fluidité de l'eau. Les génies n'avaient point boudé à l'opération!

— Approchez la brique! disait mon père, levant ainsi l'interdit qui nous avait jusque-là tenus silencieux.

La brique, qu'un apprenti posait près du foyer, était creuse, généreusement graissée de beurre de karité. Mon père retirait

foyer *m.*   lieu où l'on fait du feu

à mesure que   en même temps que

grésiller   faire entendre une succession de bruits secs sous l'action du feu

prendre à la gorge   ici, brûler, faire mal à la gorge

piquer les yeux   irriter les yeux

larmoyer   verser des larmes

adjuration *f.*   prière

conjuration *f.*   rite, formule pour chasser les démons

en sus   en plus

déployer   montrer

revêtir   avoir, prendre un aspect

herminette *f.*   petite hâche pour sculpter le bois

marteler   travailler avec un marteau

étirer   allonger

entamer   commencer

la marmite du foyer, l'inclinait doucement, et je regardais l'or couler dans la brique, je le regardais couler comme un feu liquide. Ce n'était au vrai qu'un très mince trait de feu, mais si vif, mais si brillant! A mesure qu'il coulait dans la brique, le beurre grésillait, flambait, se transformait en une fumée lourde 5 qui prenait à la gorge et piquait les yeux, nous laissant tous pareillement larmoyant et toussant.

Il m'est arrivé de penser que tout ce travail de fusion, mon père l'eût aussi bien confié à l'un ou l'autre de ses aides: ceux-ci ne manquaient pas d'expérience; cent fois, ils avaient assisté à 10 ces mêmes préparatifs et ils eussent certainement mené la fusion à bonne fin. Mais je l'ai dit: mon père remuait les lèvres! Ces paroles que nous n'entendions pas, ces paroles secrètes, ces incantations qu'il adressait à ce que nous ne devions, à ce que nous ne pouvions ni voir ni entendre, c'était là l'essentiel. L'ad- 15 juration des génies du feu, du vent, de l'or, et la conjuration des mauvais esprits, cette science, mon père l'avait seul, et c'est pourquoi, seul aussi, il conduisait tout.

Telle est au surplus notre coutume, qui éloigne du travail de l'or toute intervention autre que celle du bijoutier même. Et 20 certes, c'est parce que le bijoutier est seul à posséder le secret des incantations, mais c'est aussi parce que le travail de l'or, en sus d'un ouvrage d'une grande habileté, est une affaire de confiance, de conscience, une tâche qu'on ne confie qu'après mûre réflexion et preuves faites. Enfin je ne crois pas qu'aucun bijou- 25 tier admettrait de renoncer à un travail — je devrais dire: un spectacle! — où il déploie son savoir-faire avec un éclat que ses travaux de forgeron ou de mécanicien et même ses travaux de sculpteur ne revêtent jamais, bien que son savoir-faire ne soit pas inférieur dans ces travaux plus humbles, bien que les 30 statues qu'il tire du bois à coups d'herminette ne soient pas d'humbles travaux!

Maintenant qu'au creux de la brique l'or était refroidi, mon père le martelait et l'étirait. C'était l'instant où son travail de bijoutier commençait réellement; et j'avais découvert qu'avant 35 de l'entamer il ne manquait jamais de caresser discrètement le petit serpent lové sous sa peau de mouton; on ne pouvait douter que ce fût sa façon de prendre appui pour ce qui demeurait à faire et qui était le plus difficile.

aller de soi   être tout naturel
au préalable   d'abord
s'atteler à la besogne   se mettre au travail
de surcroît   en plus
celé   caché
commère *f.*   voisine bavarde
muer   changer

Mais n'était-il pas extraordinaire, n'était-il pas miraculeux qu'en la circonstance le petit serpent noir fût toujours lové sous la peau de mouton? Il n'était pas toujours présent, il ne faisait pas chaque jour visite à mon père, mais il était présent chaque fois que s'opérait ce travail de l'or. Pour moi, sa présence ne 5 me surprenait pas; depuis que mon père, un soir, m'avait parlé du génie de sa race je ne m'étonnais plus; il allait de soi que le serpent fût là: il était averti de l'avenir. En avertissait-il mon père? Cela me paraissait évident: ne l'avertissait-il pas de tout? Mais j'avais un motif supplémentaire pour le croire absolument. 10

L'artisan qui travaille l'or doit se purifier au préalable, se laver complètement par conséquent et, bien entendu, s'abstenir, tout le temps de son travail, de rapports sexuels. Respectueux des rites comme il l'était, mon père ne pouvait manquer de se conformer à la règle. Or je ne le voyais point se retirer dans sa 15 case; je le voyais s'atteler à sa besogne sans préparation apparente. Dès lors il sautait aux yeux que, prévenu en rêve par son génie noir de la tâche qui l'attendait dans la journée, mon père s'y était préparé au saut du lit et était entré dans l'atelier en état de pureté, et le corps enduit de surcroît des substances 20 magiques celées dans ses nombreuses marmites de gris-gris. Je crois au reste que mon père n'entrait jamais dans son atelier qu'en état de pureté rituelle; et ce n'est point que je cherche à le faire meilleur qu'il n'est — il est assurément homme, et partage assurément les faiblesses de l'homme — mais toujours je 25 l'ai vu intransigeant dans son respect des rites.

La commère à laquelle le bijou était destiné et qui, à plusieurs reprises déjà, était venue voir où le travail en était, cette fois revenait pour de bon, ne voulant rien perdre de ce spectacle, merveilleux pour elle, merveilleux aussi pour nous, où le fil que 30 mon père finissait d'étirer se muerait en bijou.

Elle était là à présent qui dévorait des yeux le fragile fil d'or, le suivait dans sa spirale tranquille et infaillible autour de la petite plaque qui lui sert de support. Mon père l'observait du coin de l'œil, et je voyais par intervalles un sourire courir sur ses 35 lèvres: l'attente avide de la commère le réjouissait.

— Tu trembles? disait-il.

— Est-ce que je tremble? disait-elle.

Et nous riions de sa mine. Car elle tremblait! Elle tremblait

convoitise *f.*   fort désir de posséder quelque chose

insérer   mettre dans

méandre *m.*   ici, le dessin du bijou

sommer   achever en rendant parfait

virer   tourner

débit *m.*   récit

s'enivrer   remplir d'une ivresse, d'une excitation des sens

clamer   proclamer, crier

thuriféraire *m.*   flatteur

à gages   payé pour remplir tel ou tel rôle

souder   joindre des pièces métalliques par fusion

énoncé *m.*   déclaration

déchaîner   donner libre cours à une force

lancer leurs sorts   ensorceler, provoquer des effets magiques

de convoitise devant l'enroulement en pyramide où mon père insérait, entre les méandres, de minuscules grains d'or. Quand enfin il terminait l'œuvre en sommant le tout d'un grain plus gros, la femme bondissait sur ses pieds.

Non, personne alors, tandis que mon père faisait lentement 5 virer le bijou entre ses doigts pour en étaler la régularité, personne n'aurait pu témoigner plus ample ravissement que la commère, même pas le griot dont c'était le métier, et qui, durant toute la métamorphose, n'avait cessé d'accélérer son débit, précipitant le rythme, précipitant les louanges et les flatteries à me- 10 sure que le bijou prenait forme, portant aux nues le talent de mon père.

Au vrai, le griot participait curieusement — mais j'allais dire: directement, effectivement — au travail. Lui aussi s'enivrait du bonheur de créer; il clamait sa joie, il pinçait sa harpe en homme 15 inspiré; il s'échauffait comme s'il eût été l'artisan même, mon père même; comme si le bijou fût né de ses propres mains. Il n'était plus le thuriféraire à gages; il n'était plus cet homme dont chacun et quiconque peut louer les services: il était un homme qui crée son chant sous l'empire d'une nécessité tout intérieure. 20 Et quand mon père, après avoir soudé le gros grain qui achevait la pyramide, faisait admirer son œuvre, le griot n'aurait pu se retenir plus longtemps d'énoncer la «douga», ce grand chant qui n'est chanté que pour les hommes de renom, qui n'est dansé que par ces hommes. 25

Mais c'est un chant redoutable que la «douga», un chant qui provoque, un chant que le griot ne se hasarderait pas à chanter, que l'homme pour qui on le chante ne se hasarderait pas non plus à danser sans précautions. Mon père, averti en rêve, avait pu prendre ces précautions dès l'aube; le griot, lui, les avait 30 obligatoirement prises dans le moment où il avait conclu marché avec la femme. Comme mon père, il s'était alors enduit le corps de gris-gris, et s'était rendu invulnérable aux mauvais génies que la «douga» ne pouvait manquer de déchaîner, invulnérable encore à ses confrères mêmes qui, jaloux peut-être, n'at- 35 tendaient que ce chant, l'exaltation, la perte de contrôle qu'entraîne ce chant, pour lancer leurs sorts.

A l'énoncé de la «douga», mon père se levait, poussait un cri

éloge *f.*   compliment, félicitation
jadis (adv.)   autrefois, dans le temps passé
rayonnant   qui exprime vivement quelque chose d'heureux
menu (adj.)   petit
guinéen (adj.)   de la Guinée, pays africain
chlore *m.*   substance chimique extraite du chlorure de sodium

où, par parts égales, le triomphe et la joie se mêlaient, et brandissant de la main droite son marteau, insigne de sa profession, et de la gauche une corne de mouton emplie de substances magiques, il dansait la glorieuse danse.

Il n'avait pas plus tôt terminé qu'ouvriers et apprentis, amis 5
et clients attendant leur tour, sans oublier la commère à laquelle le bijou était destiné, s'empressaient autour de lui, le complimentant, le couvrant d'éloges, félicitant par la même occasion le griot qui se voyait combler de cadeaux — cadeaux qui sont quasi ses seules ressources dans la vie errante qu'il mène à la 10
manière des troubadours de jadis. Rayonnant, échauffé par la danse et les louanges, mon père offrait à chacun des noix de kola, cette menue monnaie de la civilité guinéenne.

Il ne restait plus à présent qu'à rougir le bijou dans un peu d'eau additionnée de chlore et de sel marin. Je pouvais dis- 15
paraître: la fête était finie! Mais souvent, comme je sortais de

n'en pouvoir mais   ne pouvoir rien faire
s'abîmer   se ruiner, se détériorer
soudure *f.*   opération par laquelle on réunit des métaux
nuisible (adj.)   mauvais, dangereux
chalumeau *m.*   appareil qui produit et dirige un jet de gaz enflammé
alliage *m.*   métal ou combiné avec le métal de base
cotonnade *f.*   tissu de coton

l'atelier, ma mère, qui était dans la cour à piler le mil ou le riz, m'appelait.

— Où étais-tu? disait-elle, bien qu'elle le sût parfaitement.

— Dans l'atelier.

— Oui, ton père travaillait l'or. L'or! Toujours l'or!   5

Et elle donnait de furieux coups de pilon sur le mil ou le riz qui n'en pouvaient mais.

— Ton père se ruine la santé! Voilà ce que ton père fait!

— Il a dansé la «douga», disais-je.

— La «douga»! Ce n'est pas la «douga» qui l'empêchera de 10
s'abîmer les yeux! Et toi, tu ferais mieux de jouer dans la cour plutôt que d'aller respirer la poussière et la fumée dans l'atelier!

Ma mère n'aimait pas que mon père travaillât l'or. Elle savait combien la soudure de l'or est nuisible: un bijoutier épuise ses poumons à souffler au chalumeau, et ses yeux ont fort à souffrir 15
de la proximité du foyer; peut-être ses yeux souffrent-ils davan-tage encore de la précision microscopique du travail. Et même n'en eût-il été rien, ma mère n'eût guère plus aimé ce genre de travail: elle le suspectait, car on ne soude pas l'or sans l'aide d'autres métaux, et ma mère pensait qu'il n'est pas strictement 20
honnête de conserver l'or épargné par l'alliage, bien que ce fût chose admise, bien qu'elle acceptât, quand elle portait du coton à tisser, de ne recevoir en retour qu'une pièce de cotonnade d'un poids réduit de moitié.

Exercices

A. Remplissez les phrases suivantes:

la brique	la cour	les cadeaux
le bijoutier	l'atelier	la pâte
la harpe	la santé	le bijou
les poumons	la marmite	la magie
l'alliage	le chant	l'or
les paroles	les louanges	le coton
le travail	le(s) génie(s)	l'eau

1. . . . fait partie de cette opération.
2. Je comprenais qu'il n'y avait pas de travail qui dépassait celui de . . .
3. . . . coulait comme un feu liquide.
4. . . . ont protégé cette opération de la fusion.
5. Approchez . . . disait mon père.
6. Mon père n'osait pas confier ce travail de . . . à ses aides.
7. Le petit serpent noir, . . . de la race était présent au travail.
8. Quand il remuait ses lèvres, le père prononçait des . . . secrètes.
9. Tout le monde observait la marche du mélange dans . . .

208

10. Le père est entré dans . . . en état de pureté.
11. Après avoir soudé le gros grain, le père faisait admirer
    . . .
12. Le griot pinçait . . . en homme inspiré.
13. Il chantait . . . du père.
14. La «douga» est . . . redoutable.
15. Le griot, très content, se voyait combler de . . .
16. Ma mère était dans . . . à piler le mil.
17. Elle dit, «Ton père se ruinera . . .»
18. Elle croit que son mari épuise . . . à souffler au chalu-
    meau.
19. Le petit garçon compare l'or épargné par . . .
20. à . . . acheté par sa mère.

Vocabulaire

abattre *to beat down, fell (a tree)*
abeille f. *bee*
abîme m. *abyss, chasm;* **s'abîmer** *to plunge, damage*
s'abreuver *to quench one's thirst*
acariâtre *shrewish*
accabler *to crush, overwhelm*
accoucher *to give birth;* **accouchement** m. *delivery of a child*
accourir *to run up to*
accrocher *to hang on, clip to;* **s'accrocher à** *to hold on to*
accroître *to grow, increase*
s'accroupir *to crouch down*
accueillir *to greet;* **accueil** m. *greeting*
acéré *sharp*
s'acharner à *to be bent on*
acier m. *steel*
adjuration f. *solemn entreaty*
s'adosser *to lean against*
adresse f. *skill*
advenir *to occur, happen*
affamé *famished*
affres f. pl. *dread, horror, anguish*
s'agenouiller *to kneel*

agir *to act;* **il s'agit de** *it is a question of*
s'ahurir *to be confused*
aigre *shrill;* **aigrelette** *sour, tart*
aiguille f. *needle*
aile f. *wing*
aîné *oldest*
aise f. *ease, comfort*
alliage m. *alloy*
allure f. *walk, gait*
s'amaigrir *to grow thin*
aménager *to arrange, organize*
amène *pleasing*
amertume f. *bitterness*
ameuter *to assemble, collect*
ampoule f. *blister*
âne m. *donkey;* **ânesse** f. *donkey;* **ânon** m. *baby donkey*
s'apaiser *to grow peaceful*
apanage m. *attribute, privilege*
appauvrir *to grow poor*
apprenti m. *apprentice*
s'apprêter à *to get ready to*
appuyer *to lean (on)*
âpreté f. *roughness, harshness*
arachide f. *peanut*
araignée f. *spider*
arc–en–ciel m. *rainbow*

ardre *to burn;* **ardent(e)** *burning*

arête f. *fishbone*

argile f. *clay*

armateur m. *ship-owner*

arracher *to pull, snatch*

assener *to strike a blow;* **un coup nettement assené** *a well-planted blow*

assoiffé *thirsty*

astre m. *star*

atelier m. *work shop*

atteindre *to reach*

s'atteler *to settle down, buckle down (to a task)*

s'attendre à *to expect to*

attraper *to catch*

s'attrister *to grow sad*

aube f. *dawn*

au bout de *at the end of*

au-dessus *above*

auprès *close to, beside*

au ras de *on a level with;* **au ras du sol** *close to the ground*

autrement *otherwise*

autrui *others*

avaler *to swallow*

avare *stingy*

aviron m. *oar*

aviser *to catch a glimpse of*

avoir beau dire *to be of no use*

avoir maille à partir avec quelqu'un *to have a bone to pick with someone*

avouer *to admit*

baie f. *berry*

bâiller *to yawn*

balance f. *the scale*

baliverne f. *nonsense, idle story*

bambin m. *little child;* **bambine** f.

barbe f. *beard*

barque f. *boat*

battre *to beat;* **battement** m. *the beating*

bavarder *to chatter;* **bavard** *gossiping*

bec m. *beak*

berge f. *riverbank*

besogne f. *task*

besoin m. *need;* **faire ses besoins** *to relieve oneself*

bêtise f. *folly, nonsense, absurdity*

biens m. *goods, wealth*

bijoutier m. *the jeweler*

biner *to dig, hoe*

blessure f. *wound*

se blottir *to crouch*

boisson f. *drink, refreshment*

bondir *to bound forth, jump up*

bonnement *simply*

bonnet m. *cap*

bord m. *edge;* **au bord de** *on the edge of*

bosse f. *hump, bump;* **bossu(e)** *hunchback*

boucher *to close, stop up*

boucle d'oreille f. *ear-ring*

bouder *to sulk, be sullen;* **boudeur** *sulky, sullen*

boue f. *mud;* **boueux** *muddy*

bouillie f. *porridge*

boulette f. *little ball, pellet*

bourdonnement m. *buzzing;* **bourdonnant(e)** *buzzing, humming*

bourrelet m. *fold, wrinkle;* **les bourrelets de graisse** *folds of fat*

bourrer *to stuff*

bourrique f.   *donkey*
bourse f.   *purse*
bousculer   *to jostle*
boyau m.   *bowels*
braise f.   *glowing embers*
branloire f.   *bellows-handle*
braquer   *to aim*
briller   *to shine, gleam*
brindille f.   *twig*
brique f.   *brick*
brise f.   *breeze*
se briser   *to break up, shatter, dash to pieces*
brocanter   *to deal in second-hand goods or antiques*
brouiller   *to disturb*
broussailles *f. pl.   the brushes, undergrowth*
brousse f.   *the brush*
bruit m.   *sound, noise*
brûler   *to burn*
brume f.   *fog*
buste m.   *bust, chest;* **buste nu** *bare-chested*

cachottier(ère)   *secretive;* **en cachette**   *in secret*
cadran m.   *dial, face of a clock;* **le cadran solaire**   *the sun dial*
caillou m.   *pebble, stone*
caillé   *curdled*
caïman m.   *crocodile*
cajoler   *to wheedle, cajole*
calciner   *to burn to cinders*
calvaire m.   *tribulation, martyrdom*
canard m.   *duck*
canari de teinturière m.   *dyer's pot*
cancan m.   *gossip*
canton m.   *district*

carder   *to card cotton or wool*
carmin(e)   *ruby-colored*
carrément   *squarely*
casser   *to break*
cauchemar m.   *nightmare*
céder   *to give in*
ceinture f.   *belt*
celer   *to conceal, keep secret*
cendre f.   *ashes*
cervelle f.   *brain*
chacun   *each one*
chair f.   *flesh*
chalumeau m.   *blow-pipe*
chameau m.   *camel*
chapelet m.   *prayer beads*
charbon m.   *coal;* **charbon de bois**   *charcoal*
charge f.   *load, burden*
charrier   *to carry off, transport*
châtiment m.   *punishment*
chatouiller   *to tickle*
chauffer   *to warm*
chaume m.   *thatch;* **toît de chaume**   *thatched roof*
chemin m.   *road, way*
cheminée f.   *fireplace*
chevauchant   *astride*
chevelure f.   *head of hair*
cheville f.   *ankle*
chlore m.   *chlorine*
choir   *to fall*
chuchoter   *to whisper*
chute f.   *fall*
cime f.   *the summit, top*
clairière f.   *clearing*
claquement m.   *clapping of hands*
cligner   *to blink*
clin d'œil m.   *wink of an eye*
cloche-pied (sauter à)   *to hop on one foot*

clôture f. *enclosure*
coffret m. *box, chest*
cogner *to knock, beat, bump*
coiffer *to cover*
colère f. *anger*
colibri m. *humming-bird*
coller *to stick, cling*
collier m. *necklace*
comble m. *height, high point*
commère f. *busybody*
commettre *to commit*
compagne f. *companion*
se comporter *to behave*
concourir *to combine, coincide, unite*
concurrence f. *competition*
conduit m. *duct, pipe*
confier *to confide, entrust*
congé m. *leave, vacation;* **prendre congé de** *to take leave of*
conseiller *to advise*
consigne f. *the orders*
consterner *to dismay*
contourner *to pass around, to skirt*
contrarier *to thwart, oppose*
convenir *to agree*
convoitise f. *covetousness*
coq m. *rooster*
coque f. *shell;* **coquillage** m. *shell*
corbeau m. *crow*
cordée f. *string*
corne f. *horn*
corolle f. *corolla of a flower*
correction f. *rebuke, punishment*
cortège m. *train, suite, procession*
corvée f. *duty, task*
côtes f. pl. *ribs;* **se tenir les côtes de rire** *hold one's sides with laughter*

cotonnade f. *cotton fabric*
coudée f. *cubit, measure (the length of an elbow to fingertips)*
coudre *to sew*
couler *to flow*
coup m. *blow*
courber *to bend*
coutume f. *custom*
couvercle f. *cover of a pot*
craindre *to fear;* **de crainte que** *for fear that*
crapaud m. *toad*
se craqueler *to crackle*
crépuscule m. *sunset, twilight*
creux *hollow*
croasser *to croak*
crochet m. *hook, fang;* **vivre aux crochets de quelqu'un** *live off someone*
cru(e) *raw;* **crûment** *harshly, coarsely*
crue f. *flood, rising waters*
cueillir *to gather, collect;* **cueillette** f. *gathering, picking*
cuivre m. *copper*
culbuter *to knock over, topple over*

dalle f. *slab, paving stone;* **dalle d'eau** *cover of water*
dard m. *dart, sting*
dattier m. *date-tree*
se débarrasser de *to get rid of*
débattre *to talk a matter over*
débauché *dissolute*
débit m. *delivery, utterance of an orator*
débiter *to chop up*
debout *standing up*

déchaîner *to unleash*
déchiqueter *to cut, slash, shred*
décrocher *to unhook, take down*
décupler *to multiply, increase*
défaire *to overthrow*
défaut m. *fault, deficiency*
défendre *to forbid*
déferrer *to remove the hook*
défi m. *challenge*
dégoûter *to disgust*
dégringoler *to come tumbling down*
délasser *to rest, refresh;* **se délasser** *to relax*
démarche f. *gait, step, walk*
demeure f. *home*
démolir *to demolish*
démonter *to take apart*
démuni *divested*
se dénouer *to end, wind up*
dent f. *tooth*
dénudé *bare, naked*
déplacement m. *movement, emigration*
aux dépens de *at the expense of, to the detriment of*
dépit m. *spite;* **en dépit de** *in spite of*
déposer *to set down*
dépouiller *to lay bare*
déranger *to disturb*
derechef *once more*
se dérober *to escape, slip away*
dès *as soon as;* **dès lors** *from then on*
désagréger *to break up, to disintegrate*
désagrément m. *source of annoyance*
désaltérer *to quench the thirst*
désapprobation f. *disapproval*
désarroi m. *disarray*

se déshabiller *to undress*
désigner *to point out*
désormais *from now on*
deuil m. *mourning*
devers *towards*
dévider *to unwind*
deviner *to guess*
dieu m. *god*
digne *deserving, worthy*
disette f. *scarcity, famine*
dissimuler *to hide*
divaguer *to hallucinate*
doigt m. *finger;* **doigté** m. *adroitness*
dompter *to tame*
doré(e) *golden*
doter *to bestow*
se douter *to guess, suspect*
dru *dense*
dûment (adv.) *duly*
durcir *to harden*

ébahissement m. *amazement*
aux ébats m. pl. *frolic*
éblouissement m. *dazzlement*
s'ébrouer *to snort*
écarlate *scarlet*
écarquiller *to open one's eyes wide, to stare*
s'écarter *to move away from;* **écarté** *far apart*
éclaboussure f. *splash*
éclairer *to light;* **éclair** m. *flash of lightening*
éclater *to burst;* **éclatant** *dazzling*
écorce f. *bark of a tree*
écorcher *to flay, skin, burn*
s'écouler *to flow*
écraser *to crush, break up*

215

s'écrouler *to collapse, fall down*

écume f. *foam*

effacer *to erase;* **effacé** *retiring, unobtrusive*

effrayer *to frighten*

effroi m. *fear*

égarer *to lose*

égoïste *selfish*

égrener *to shell*

éloge m. *praise*

éloigner *to move away*

embarras m. *difficulty;* **se tirer d'embarras** *to get out of a jam*

d'emblée *directly*

emboîter le pas *to fall into step with*

mal embouché *foul-mouthed*

émettre *to emit, put forth*

émouvoir *to touch emotionally;* **ému** *upset, moved*

s'emparer de *to get hold of*

empeser *to starch*

emplir *to fill*

emporter *to carry off*

empressement m. *eagerness*

enceinte *pregnant*

enclore *to enclose;* **enclos** m. *enclosure*

enclume f. *anvil*

encombre m. *hindrance*

endiablé *wild, frenzied*

enduire *to smear, coat*

enferrer *to pierce, run through;* **s'enferrer** *to swallow the hook*

enfiler *to thread*

enflammer *to set fire to*

enfler *to swell, puff out*

enfoncer *to dig in, plunge in*

engloutir *to swallow up*

engraisser *to fatten*

s'enivrer *to become intoxicated*

enjamber *to step across;* **enjambée** f. *stride*

enjoué(e) *playful, vivacious*

enlaidir *to make ugly*

enlever *to take off, remove*

s'enquérir *to inquire, ask after*

enseigne f. *sign;* **nous sommes tous logés à la même enseigne** *we are all in the same boat.*

ensevelir *to bury*

ensorceleur(-se) *bewitching*

entamer *to begin, undertake*

enterrer *to bury*

s'entêter *to persist in, be obstinate;* **entêtant** *intoxicating*

entonner *to intone a chant*

entorse f. *twist, stretch, wrench*

entourer *to surround;* **à l'entour** *around*

envahir *to invade*

envie f. *temptation, desire*

épargner *to spare, save*

s'éparpiller *to disperse, to scatter*

épier *to watch, be on the lookout*

épine f. *thorn*

épouser *to marry;* **époux** m. *husband;* **épouse** f. *wife;* **épousailles** f. pl. *wedding*

ergoter *to quibble, split hairs*

errer *to wander*

esclave m. *slave*

escompter *to anticipate*

essor m. *flight, soaring of a bird*

étaler *to display, spread out*

étamine f. *stamen of a flower*

étape f. *stage of a journey, distance between two stopping places*

éteindre *to put out, extinguish*

s'étendre *to stretch out, spread;* **l'étendue** f. *vast expanse*

étinceler   *to sparkle*
étirer   *draw out;* **s'étirer**   *to stretch (oneself)*
étonner   *to astonish*
étouffer   *to suffocate;* **étouffement** m.   *suffocation*
étourdissant   *deafening*
s'évanouir   *to faint, vanish*
éventer   *to fan*
s'évertuer   *to do one's utmost*
exaucer   *to grant, fulfill*
exécrable   *horrible*
expédier   *to send*
exténué   *worn out*

se fâcher   *to become angry*
fagot m.   *twig, bundle of sticks*
faillir   *to nearly do something*
fainéant m.   *idler, sluggard*
falloir   *to be necessary*
fardeau m.   *load, burden*
farineux   *floury*
fastueux   *gaudy*
se faufiler   *to steal in, steal out*
fauve   *fawn-colored*
se fendiller   *to crack, crackle*
féticheur m.   *priest of pagan religious cults*
fesses f. pl.   *buttocks*
feuille f.   *leaf;* **feuillage** m.   *foliage*
feux follets m. pl.   *will o' wisps*
fiel m.   *gall, bitterness*
fiévreux   *feverish*
filer   *to spin;* **fil** m.   *thread*
filet m.   *net, trickle (of water)*
fixer   *to stare at*
flambée f.   *blaze;* **flammèche** f.   *spark of fire*
flanc m.   *side, flank*

flaque f.   *puddle, pool*
flasque   *flabby*
fléchir   *to bend, give way, sag*
flétrir   *to stigmatize, sully the reputation*
flot m.   *wave;* **flots fendus**   *furrowed wake*
flotille f.   *fleet*
flotteur m.   *float*
fluvial   *of the river*
folâtre   *playful, frolicsome*
fondre   *to dissovle, melt away*
force fut   *(he) was obliged to*
forgeron m.   *smith*
fou (folle)   *crazy*
fouetter   *to whip*
fouiller   *to search*
foulard m.   *kerchief*
four m.   *oven*
fourberie f.   *cheating, double-dealing*
fourmi f.   *ant*
foyer m.   *hearth*
franchir   *to cross over, clear, pass through;* **franchir des étapes**   *to overcome obstacles*
frayer   *to clear a way;* **frayer un chemin**   *to blaze a trail*
frayeur f.   *fright, terror*
freiner   *to check, hold back*
frêle   *slender*
frémir   *to shudder;* **frémissement** m.   *shudder*
fréquenter   *to visit, attend*
fringale f.   *pang of hunger*
frise, les chevaux de   *barbed-wire barrier*
friser   *to curl*
frissonner   *to shiver, shudder*
frotter   *to rub*
fuir   *to flee;* **fuite** f.   *escape*

au fur et à mesure *as, progressively*
funérailles *f. pl.* *funeral*
funeste *deadly*
fusion f. *melting, smelting*

à gages *hired, paid*
galette f. *cake*
gambader *to frisk about, frolic*
garder *to keep;* **se garder de** *to take care not to, beware of*
garnir *to garnish*
se gausser *to poke fun at*
geindre *to whine, whimper;* **geignant** *whimpering*
gêner *to hinder, obstruct*
génie m. *spirit*
gerbe f. *shower of fire*
gisait (imp. of **gésir**) *to lie*
glace f. *mirror*
glacé *icy*
terre glaise f. *potter's clay*
gobe-mouches m. *fly-catcher*
gomme f. *rubber, eraser*
gorges chaudes (faire des) *to gloat over*
goulu(e) *greedy*
gourd(e) *numb*
gourdin m. *club, bludgeon*
goûter *to taste*
gravir *to climb*
gré m. *will, pleasure*
grelotter *to shiver*
grésiller *to crackle, sputter*
griffer *to scratch;* **griffe** f. *claw*
grimper *to climb*
griser *to intoxicate*
grogner *to grunt, growl*
grognon(ne) *peevish*
grosseur m. *size, thickness*
ne ... guère *scarcely*

guérisseur m. *medicine-man*
guerrier m. *warrior*
gueule f. *animal's mouth*

habitant m. *inhabitant*
haleter *to pant, be breathless;* **halètement** m. *panting*
hameçon m. *fish-hook, bait*
hantise f. *obsession*
hâtif(ve) *early, hasty*
héler *to hail, call*
herbe f. *weed, grass;* **brin d'herbe** *blade of grass*
hérisser *to bristle;* **hérisson** m. *porcupine*
herminette f. *sculptor's cutting tool*
heurter *to collide with*
hibou m. *owl*
hirondelle f. *swallow*
hisser *to hoist, pull up*
horlogerie f. *watch or clock-making*
houle f. *swell of the sea*
hurler *to scream*

inaperçu *unnoticed*
incendier *to set fire to*
indigène *indigenous, native*
indiquer *to show, point out*
ingéniosité f. *cleverness*
inimitié f. *hostility*
s'injecter *to become bloodshot*
inonder *to flood*
inopinément *unexpectedly*
insérer *to insert*
insigne m. *badge, mark*
insolite *strange*
interroger *to question*
ivre *drunk*

jadis *formerly*
jambe f. *limb, leg*
jaser *to gossip*
jeter *to throw*
joyau m. *jewel*
jumeaux m. pl. *twins*
jurer *to swear*
jus m. *juice*
jusque *until*

kaolin m. *porcelain clay*

lâcher *to let go;* **lâcher prise** *to let go*
lagune f. *lagoon*
laid(e) *ugly*
lampe-tempête f. *hurricane lamp*
lancer *to throw*
large m. *wide expanse, width;* **prendre le large** *to set out to sea*
larmoyer *to tear, weep;* **larme** f. *tear-drop*
las(se) *tired*
latérite f. *rock;* **tas de latérite** *rock-pile*
lentille d'eau f. *duckweed*
lèvre f. *lip*
libellule f. *dragon fly*
lieue f. *league*
lièvre m. *hare*
linceul m. *shroud*
lisse *smooth, glossy*
livrer *to wage*
louange f. *praise;* **louangeur** m. *praiser*
lover *to coil*
lueur f. *ray, gleam*
luire *to shine*

lutin m. *goblin*

mâcher *to chew*
magnan m. *silk-worm*
mais (n'en pouvoir . . .) *to be powerless*
malaise m. *discomfort*
malaxer *to mix*
maléfice m. *evil spell*
malfaisant *mischievous*
malgré *in spite of*
malin *cunning*
malmener *to abuse, maltreat*
malotru m. *boorish creature*
malveillant *malicious*
mamelle f. *breast*
manguier m. *mango tree*
marâtre f. *step-mother*
marchand ambulant m. *itinerant salesman*
margouillat m. *grey lizard*
marmite f. *cooking-pot*
marteler *to hammer;* **marteau** m. *hammer*
martin-pêcheur m. *king-fisher*
masser *to massage, rub down*
massue f. *club, club-shaped*
matrone f. *midwife*
maudire *to curse, grumble about;* **maudit(e)** *wretched*
méandre m. *bend, sinuosity*
mèche f. *lock of hair*
mécréant m. *infidel, wretch*
médisant *backbiting*
mélanger *to mix;* **mélange** m. *mixture*
mêler *to mix*
ménage m. *household*
ménager *to arrange*
mentir *to lie;* **mensonge** m. *lie*
menu *small*
merle f. *blackbird*

mésentente f.   *discord*
à mesure que   *as*
mets m.   *food, dish of food*
meurtrir   *to bruise, to beat, murder*
miel m.   *honey*
miette f.   *crumb;* **en miettes** *in pieces*
mil m.   *wheat*
millénaire m.   *a thousand years*
mince   *slender*
mine de rien f.   *casually*
se mirer   *to admire oneself*
miroiter   *to flash, glisten*
moelleux   *soft, velvety*
se moquer de   *to make fun of*
mordre   *to bite;* **mordiller**   *to bite at*
mortier m.   *mortar*
moto m.   *motorcycle*
motte f.   *mound, lump*
mou (molle)   *soft*
mouette f.   *gull*
mouiller   *to wet*
mousseux   *frothy, foaming*
moussu(e)   *mossy*
mouton m.   *sheep*
muer   *to become*
mufle m.   *animal's nose*
mugir   *to roar, howl*
museau m.   *animal snout*

nacelle f.   *little boat*
nager   *to swim*
naguère   *a short time ago*
naître   *to be born*
natte f.   *mat*
nénuphar m.   *water-lily*
noces f. pl.   *wedding*
noise (chercher)   *to pick a quarrel*

se nourrir   *to feed on*
nuage m.   *cloud;* **nue** f.   *cloud*
nuisible   *harmful*

offenser   *to offend*
ombre f.   *shadow*
onde f.   *wave, billow*
onduler   *to ripple*
oreille f.   *ear*
oreiller m.   *pillow*
orgueil m.   *pride*
orpheline f.   *orphan*
os m.   *bone*
oser   *to dare*
osier tressé m.   *wicker-work*
outil m.   *tool*
ouvrage m.   *task*
outre f.   *goatskin bottle*

pagaie f.   *canoe paddle*
paille f.   *straw*
paître   *to graze (cattle)*
paix f.   *peace*
palabre m.   *palaver, talk*
palétuvier m.   *mangrove tree*
palissade f.   *fence*
palmier m.   *palm-tree*
se pâmer   *to faint away*
panier m.   *basket*
panne f.   *failure, breakdown*
papotage m.   *gossip, chatter*
parage m.   *place;* **dans les parages**   *in the vicinity*
paraître   *to appear*
par-dessus   *over, above*
pareil   *similar*
parer   *to adorn;* **parure** f.   *jewelry, adornment*
paroi f.   *wall*
parsemer   *to sprinkle*

Vocabulaire

partager *to share*
partout *everywhere*
parvenir *to succeed*
pâte f. *paste, dough*
patte f. *paw*
paume f. *palm of the hand*
paupière f. *eyelid*
peau f. *skin*
pêcherie f. *fishing ground;* **pêcheur** m. *fisherman*
à peine *hardly*
pelage m. *animal coat*
pelé *bald*
pèlerin m. *pilgrim*
penaud *crestfallen, shamefaced*
pénible *difficult, painful, distressing*
pennage m. *bird plumage*
pente f. *slope*
pépite f. *nugget*
percer *to pierce*
perche f. *fishing rod*
perdreau m. *young partridge*
peser *to weigh;* **pesant** *heavy*
pétillant *sparkling, crackling*
pétrir *to knead, mold*
peupler *to populate*
peur f. *fear*
pie f. *magpie*
pieux(se) *pious*
piler *to pound, crush*
pilon m. *pestle*
pince f. *claw, pincer*
piquer *to sting, head straight for*
piroguier m. *one who handles a canoe*
pitance f. *food ration*
placer m. *mineral deposit*
plaie f. *wound*
plainte f. *complaint*
plante f. *sole of the foot*
plaquer *to plant, stick on*

plénitude f. *fullness*
pleurnichard m. *whimpering child*
pli m. *fold, pleat*
plume f. *feather, pen*
poignet m. *wrist*
pointe f. *tip*
poisson-chien m. *dog-fish*
poitrine f. *chest, breast*
poltron(ne) *cowardly*
pont m. *bridge*
à portée *at hand*
poser *to place*
potin m. *gossip*
poursuivre *to pursue*
pourtant *however*
poussière f. *dust*
au préalable *as a preliminary*
précipiter *to hurry*
prendre goût à *to enjoy*
prendre le large *to run off, to take to the open sea*
pressentiment m. *premonition*
pressé *hurried*
prêt *ready*
prétendant m. *suitor*
prêter *to lend*
proche *near*
prodiguer *to lavish, waste, squander*
proie f. *prey, victim*
prosterner *to bow low*
puiser *to draw (water)*
puits m. *well*

quant à *as for, as regards*
quasi *almost*
quête f. *search, quest*
queue f. *tail, stalk, stem*
quiconque *whoever*

quolibet m.   *gibe, nasty comment*

raccourcir   *to shorten;* **à bras raccourcis**   *with all one's strength*
racheter   *to buy back*
racine f.   *root*
racler   *to scrape*
racontar m.   *gossip*
radicelle f.   *small root*
radoter   *to talk nonsense*
raide   *stiff, starchy*
ramasser   *to gather, to collect*
rameau m.   *small branch, twig,
  bough;* **ramille** f.   *twig*
rameur m.   *oarsman*
ramper   *to crawl, creep, climb*
rancune f.   *grudge*
ranimer   *to revive*
se rapprocher de   *to approach*
au ras de   *level with*
raser   *to shave*
ravir   *to delight*
rayonner   *to radiate, shine;* **rayon** m.   *ray*
rebrousser chemin   *to turn back*
réchauffer   *to warm up*
récipient m.   *container, flask*
réclamer   *to reclaim*
récolte f.   *harvest*
reconnaître   *to recognize*
recueillir   *to collect*
reculer   *to step back*
récurer   *to scour*
se régaler   *to feast, treat oneself*
reine f.   *queen*
rejaillir   *to reflect upon, rebound*
réjouir   *to delight, cheer up*
se relayer   *to take turns*
relever   *to pick up again*
remettre sur pied   *to get back on
  one's feet*
remonter   *to go back to*

remous m.   *current, tide*
remuer   *to stir, move;* **remue-
  ménage** m.   *hubbub, stir*
renommée f.   *reputation*
repaire m.   *lair, den;* **repaire de
  vase**   *lair in the mud*
se repaître   *to feed on*
répit m.   *delay, rest;* **sans répit**
  relentless
repousser   *to push back, repel*
à plusieurs reprises   *on several
  occasions*
requérir   *to call upon, require*
resplendissant   *shining*
retentir   *to ring, reverberate*
retraite f.   *retreat*
retrousser   *to tuck up, pull up*
réussir   *to succeed*
revenant m.   *ghost*
revêtir   *to dress, clothe*
révolu   *past, completed*
ricaner   *to mock, sneer at*
rideau m.   *curtain*
rive f.   *river bank*
river   *to rivet*
rocher m.   *rock*
ronce f.   *bramble, thorns*
roseau m.   *reed*
rosée f.   *dew*
rouler   *to roll;* **roulement** m.
  roll of drums
royaume m.   *kingdom*
rudoyer   *to rough someone up*
ruisseau m.   *stream*

sable m.   *sand;* **sablonneux(se)**
  sandy
saigner   *to bleed*
saigneur de palmier m.   *palm-
  tapper*
salir   *to soil*

saluer *to greet;* **salut** m. *greeting*
sanglier m. *wild boar*
sanglot m. *sob*
sarcler *to weed*
sautiller *to hop about*
se sauver *to escape*
savate f. *old shoe*
scintiller *to twinkle*
sécher *to dry;* **sécheresse f.** *drought, dryness*
secouer *to shake;* **secousse** f. *jolt, shock*
séduire *to seduce*
semer *to sow*
sentier m. *path*
serin m. *canary*
serrer *to clasp, hug, bite hard;* **serrer les dents** *to grit one's teeth*
serre f. *claw, grip*
sève f. *sap of the tree*
siffler *to whistle;* **sifflement** m. *whistle*
silure m. *catfish*
singe m. *monkey*
sinon *otherwise*
sirène f. *siren;* **coup de sirène** *horn, siren blast*
sitôt *as soon as*
soin m. *care, attention*
sol m. *earth*
soleil couchant *setting sun*
sommer *to sum up*
somnoler *to doze;* **somme** m. *nap*
sonder *to probe, examine*
soporifique *sleep-inducing*
sorcier m. *sorcerer, witch doctor*
sort m. *fate, destiny*
se soucier de *to bother about;* **souci** m. *concern, worry*

souder *to solder, weld*
souffler *to blow;* **souffle** m. *wind, breath;* **les souffles** *the spirits*
soufflet m. *pair of bellows*
souhaiter *to wish, desire;* **souhaitable** *desirable*
soûl *gorged, surfeited;* **pleurer tout son soûl** *to weep one's fill*
soulever *to lift up*
soupçonner *to suspect*
soupir m. *sigh*
souplesse f. *flexibility*
source f. *spring, fountain*
sourcil m. *eyebrow*
sourire m. *smile*
sourdre *to spring, to well up*
se souvenir de *to remember*
subir *to undergo, submit*
subitement *suddenly*
à la suite de *in pursuit of*
surcroît m. *addition, increase*
surgir *to emerge, come up*
sur-le-champ *immediately*
surplomber *to jut out*
au surplus *moreover*
en sus de *over and above*

tacher *to stain;* **tacheter** *to speckle, mark with spots*
talon m. *heel*
talonner *to follow closely*
tamiser *to filter*
taquinerie f. *teasing*
tardif(ve) *late*
tas m. *heap, pile*
se tasser *to settle down, bunch together*
tâter *to touch*
teinte f. *tint, shade, hue*

témoin m. *witness*

tenailler *to gnaw*

tendre *to hold out, offer*

tenir de *to derive from*

tenir compte de *to take account of*

tenter *to try*

termitière f. *very large mound housing a termite colony*

terre f. *earth;* **terre battue** *mud;* **terre glaise** *potter's clay*

téter *to nurse, suckle*

thuriféraire m. *flatterer*

timbre m. *tone of voice*

tinter *to ring*

tirailler *to pull about*

tison m. *fire-brand*

tisser *to weave;* **tisserand** m. *weaver*

tisserin m. *weaver-bird*

tituber *to reel, stagger*

tôle f. *sheet metal*

à tort et à travers *at random*

toucan m. *tropical bird (toucan)*

touffe f. *tuft*

tour m. *trick*

tourbillon m. *whirlwind, whirlpool*

tourterelle f. *turtledove*

tousser *to cough;* **toussoter** *to cough*

traîner *to drag;* **traînée** f. *trail*

traits (à grands) *in big gulps*

traquenard m. *trap*

à travers *across, through*

tremper *to dip;* **se tremper** *to bathe*

tressaillir *to start, shudder*

tresser *to braid*

trêve f. *truce*

tribu f. *tribe*

trotter *to run*

trou m. *hole*

troupeau m. *herd*

truffer *to stuff (with truffles)*

tu (past participle of **taire**); **se taire** *to be silent*

tuyère f. *pipe*

ululer *to hoot (owl)*

vaincre *to conquer*

valoir *to be worth*

vallon m. *valley*

vanner *to winnow grain*

vase f. *mud;* **fond de vase** *muddy bottom*

vautour m. *vulture*

veille f. *eve*

veiller *to watch over*

vélo m. *bicycle*

venger *to avenge*

ventre m. *belly*

verdure f. *greenery*

vernisser *to glaze*

verser *to pour, shed*

vertige m. *dizziness, giddiness*

vibrisses f. pl. *animal hair*

vider *to empty*

virer *to turn*

viser *to aim at, allude to;* **se sentir visé** *to feel injured*

vivifier *to invigorate*

vœu m. *vow, wish*

voie f. *way;* **voie ferrée** *railroad*

voiler *to veil*

voire *indeed*

voisin(e) *neighbor*

volatiliser *to volatize, fade away*

voler *to rob, to fly;* **s'envoler** *to fly away*